r é f é r e n c e

œuvres de littérature étrangère

Collection dirigée par Jea

JOSEPH ROTH

Die Legende vom heiligen Trinker

Présentation et notes de Ursula KIRGO
Diplômée de l'Université de Francfort
Agrégée d'Allemand
Professeur en Classes Préparatoires
au Lycée Hoche, Versailles

Dans la même collection

Franz Kafka :	Der Heizer
Joseph Roth :	Die Legende vom heiligen Trinker
Georg Büchner :	Lenz
E.T.A. Hoffmann :	Spielerglück

EDITION MARKETING
EDITEUR DES PREPARATIONS
GRANDES ECOLES MEDECINE
32, rue Bargue 75015 PARIS

ISBN 2-7298-4110-5

La collection référence

La collection **REFERENCE** offre au lecteur un choix d'œuvres célèbres de la littérature étrangère en version originale. Dans le souci d'offrir aux amateurs de littérature des œuvres dans leur intégralité, nous en avons banni toute mutilation, quelles que soient les difficultés que présente le texte.

Pour permettre au lecteur hésitant de se lancer dans l'aventure passionnante qu'est la découverte d'une œuvre dans la langue d'origine, nous proposons, en regard de chaque page, une série d'aides qui permettent un accès facile au texte original :

■ Tout d'abord un résumé en français du contenu de la page de droite ; de la sorte, le lecteur, ayant le contexte en tête, peut aborder le texte étranger avec confiance et sérénité et concentrer ses efforts sur le plaisir esthétique qui récompense la lecture d'un bon texte de littérature étrangère en version originale.

■ A la suite de ce résumé, nous proposons la traduction des mots et des segments les plus difficiles. Ces traductions figurant dans l'ordre où ces mots et ces segments apparaissent à la page de droite, il est donc possible de s'y reporter rapidement d'un coup d'œil ; nous avons pu ainsi éviter les renvois qui sont une surcharge inélégante et donc la défiguration du texte.

■ Enfin, chaque page d'aides se termine par des remarques (grammaticales, syntaxiques ou autres) qui éclaircissent un point difficile du texte. Le lecteur en profitera pour rafraîchir certaines connaissances plus ou moins estompées !

Quelques conseils d'utilisation

Nous conseillons au lecteur de commencer par la lecture du résumé : connaissant le contexte, il évitera tout contre-sens à la lecture du texte. Il pourra ensuite prendre connaissance des remarques en bas de page. Enfin, un bref survol des mots et segments traduits peut être une façon rapide de baliser les difficultés qui se présenteront.

Nous espérons que cette collection répondra à l'attente de ses utilisateurs que nous remercions par avance des critiques et des suggestions qu'ils voudront bien nous faire.

Présentation

Dès le début de ses activités journalistiques et littéraires, Joseph Roth a donné à la réalité des traits de conte et de légende. Rien ne lui paraissait plus difficile que de séparer l'imaginaire et la réalité, même en ce qui concerne sa propre personnalité. La mentalité qui est à l'origine de cette attitude, il l'a défendue avec les paroles d'un poète né : *"je crois avoir toujours observé que l'homme "réaliste" est au sein du monde inaccessible et hermétique comme un mur de ciment et de béton, et que l'homme "romantique" est semblable à un jardin ouvert, dans lequel la Vérité entre et sort à sa guise".*

Il est malaisé de savoir si les inventions de Roth étaient destinées à rendre plus compréhensibles et acceptables les changements et transformations qu'il a connus dans sa vie ou s'il n'a pas plutôt vécu sa propre vie comme un rêve ou un conte de fée. Combien de ses inventions ne faut-il pas mettre sur le compte du buveur notoire qu'il était pendant les douze dernières années de sa vie ?

En parlant de lui-même, il usait de formules multiples : *Der rote Joseph* (Joseph le Rouge), *ein alter österreichischer Offizier* (un viel officier autrichien), *ein Franzose aus dem Osten* (un Français d'Europe orientale), *ein Europäer* (un Européen), *ein Mittelmeermensch wenn Sie wollen, ein Römer und ein Katholik ein Humanist und ein Renaissance-Mensch* (un méditerranéen, si vous voulez, un romain et un catholique, un humaniste et un homme de la Renaissance). Effectivement, il a créé des personnages dans ses romans qui ne se ressemblent guère mais chacun d'eux exprime une facette de la personnalité de Roth ; un de ces personnages est Andreas, le "héros" de la *Legende vom heiligen Trinker.*

L'idée de cette petite œuvre, la dernière avant sa mort en 1939, lui a été inspirée par une anecdote que l'on racontait au café "Tournon", où, depuis qu'il vivait en exil, il passait le plus clair de son temps. En seulement quatre mois, il réussit à achever ce récit de prose fictive, plein de naïveté tendre, dans lequel se mêlent les motifs réels de sa vie de déraciné cherchant refuge dans la boisson et ceux du merveilleux et du miraculeux d'une vie irréelle dont il avait gardé la nostalgie.

La nouvelle commence par la présentation de deux mondes contrastés : celui des déshérités qui vivent sous les ponts de la Seine, et celui d'un "visiteur" habillé avec recherche, dont la silhouette rassurante évoque l'opulence. La rencontre de ces deux mondes, représentés par le clochard ivre qui avance d'un pas chancelant et par son bienfaiteur à la démarche ferme, est un mystère que renforcent encore les étranges paroles prononcées par les deux personnages.

Tout au long de l'œuvre, les interventions miraculeuses de la Providence sous l'aspect de personnages décrits avec beaucoup de réalisme, tiennent le lecteur sous leur charme. Il en oublie à quel point les situations sont incroyables et inconcevables, justement parce qu'il suffit de les concevoir et d'y croire avec la foi d'Andreas en ce qu'il ne cesse d'appeler *ein Wunder* (un miracle).

Ce mélange de réel et d'irréel, Roth l'a justifié dans une lettre adressée à son éditeur : *Einzig bedeutend ist die Welt, die ich aus meinem sprachlichen Material gestalte, ebenso wie ein Maler mit Farben malt.* (Seul compte le monde que je crée avec mes mots, tout comme un peintre crée avec ses couleurs). Ce monde plein de couleurs vives et tendres, apparaît à la fin de la *Legende* sous les traits d'un jeune fille habillée de bleu ciel : *Sie war so jung, wie er noch nie ein Mädchen gesehen zu haben glaubte, und sie war ganz himmelblau angezogen. Sie war nämlich blau, wie nur der Himmel blau sein kann, an manchen Tagen, und auch nur an gesegneten.* (Elle était si jeune qu'il croyait n'avoir jamais encore vu une fille aussi jeune, et elle était toute vêtue de bleu ciel. Elle portait justement ce bleu que seul le ciel peut porter, certains jours que Dieu bénit.)

Faut-il donner un sens symbolique à la *Legende vom heiligen Trinker* ? Le choix du titre y invite, le choix des personnages aussi. Mais ne devons-nous pas voir plutôt dans ce petit chef d'œuvre poétique la quête de Joseph Roth de concilier sa vie d'émigré malheureux avec une réalité mystérieuse qui dépasserait la condition de l'homme.

Moses Joseph Roth est né en 1894 à Brody en Galicie de parents juifs. Son père avait quitté sa mère avant la naissance de l'enfant qui fut élevé dans la famille de celle-ci. Après avoir fréquenté l'école juive puis le lycée de Brody jusqu'au baccalauréat, Roth part pour Vienne, la capitale de l'Empire.

Ses premières publications, quelques poèmes, datent de 1915. Par la suite, Joseph Roth collabore à différents journaux de Vienne avant de s'installer à Berlin. Les articles qu'il signe très régulièrement dans plusieurs journaux allemands, surtout dans la "Frankfurter Zeitung", lui laissent cependant assez de temps pour se consacrer dès 1923 à son œuvre romanesque dont le thème principal est la décadence et la fin de l'Empire austro-hongrois douloureusement ressenties par l'écrivain.

Le lendemain de l'accession au pouvoir des nationaux-socialistes, le 31 janvier 1933, Roth quitte l'Allemagne et s'installe à Paris qu'il connaissait pour y avoir déjà fait quelques courts séjours. Il y retrouve tous ceux qui, dans le monde littéraire allemand et autrichien, avaient, comme lui, compris le danger que représentait Hitler pour tout créateur et plus particulièrement pour les artistes juifs. Pendant les années d'exil, ne pouvant publier en Allemagne, Roth est conduit à confier ses œuvres à des éditeurs néerlandais.

Les dernières années de la vie de Joseph Roth, *ein Ostjude auf der Suche nach seiner Heimat,* comme l'a formulé avec beaucoup de pertinence le critique littéraire Reich-Ranicki, furent dominées par la pauvreté et la tristesse d'une existence d'émigré juif sans espoir de retour. Mort le 27 mai 1939 à l'Hôpital Necker d'une crise de delirium tremens, Joseph Roth est enterré à Paris, au cimetière Thiais.

Un soir de printemps de l'année 1934, un homme d'un certain âge, habillé avec soin, descend les escaliers qui mènent à la Seine où dorment les clochards de Paris. Un de ces clochards, déguenillé et tout aussi miséreux que ses compagnons d'infortune, vient à croiser l'homme qui, pour une raison inconnue, semble lui porter une attention particulière. A la question "Où allez-vous, frère ?", le clochard répond qu'il ne le sait pas et qu'il n'a pas de frère. "Je vous montrerai la voie, Dieux a fait que nos chemins se croisent", dit alors l'inconnu, "rendez-moi le service d'accepter un peu de mon argent".

ein Herr gesetzten Alters .... *un homme d'un certain âge*
die steinernen Stufen .... *les marches de pierre*
sie pflegten zu schlafen .... *ils avaient coutume de dormir*
bei dieser Gelegenheit .... *à cette occasion*
(sich) etwas ins Gedächtnis zurückrufen .... *(se) rappeler qqch*
verdienen .... *mériter*
der Obdachlose .... *le "sans-abri", le clochard*
einen Eindruck machen .... *donner une impression*
die Sehenswürdigkeiten .... *les curiosités (d'une ville etc)*
in Augenschein nehmen .... *regarder de près, inspecter*
er war gesonnen .... *il avait l'intention*
von ungefähr .... *par hasard, à l'improviste*
er kam ihm entgegen .... *il venait à sa rencontre*
er sah aus wie die anderen .... *il avait le même air que les autres*
einer besonderen Aufmerksamkeit würdig .... *digne d'une attention particulière*
es dunkelte stärker als ... . *il faisait plus sombre que ...*
schwanken .... *avancer en titubant*
geradewegs seine Schritte dahin lenken .... *aller tout droit*
er vertrat ihm den Weg .... *il lui barrait la route*
Sie sollen mir nicht böse sein .... *ne m'en veuillez pas*
jdn um einen Gefallen bitten .... *demander un service à qqn*
ich bin zu etwas bereit .... *je suis prêt à faire qqch*
verwahrlost .... *négligé, mal soigné*
manche Fehler .... *bien des erreurs*
nehmen Sie das nicht übel .... *ne le prenez pas mal*
wollen Sie mir aufrichtig sagen .... *dites-moi en toute franchise*

■ En allemand, l'adjectif se décline devant un nom. Le plus souvent, il prend la terminaison **-en**. Exemples : **die steinernen Stufen** = *les marches de pierre*, **dem wohlgekleideten Herrn**. Mais il y a de nombreuses exceptions ; exemple : **der obdachlose und verwahrloste Mann**. Lorsque l'adjectif n'est pas précédé d'article ou d'un autre déterminant, il prend la terminaison caractéristique du cas. Exemples : **die Sehenswürdigkeiten fremder Länder.** = *Ce qu'il faut aller voir dans un pays étranger.*

■ Les adjectifs substantivés suivent la même règle. Exemples : **die Obdachlosen, dieser Obdachlose, er machte den Eindruck eines Reisenden, er hatte den Schwankenden bemerkt.**

n einem Frühlingsabend des Jahres 1934 stieg ein Herr gesetzten Alters die steinernen Stufen hinunter, die von einer der Brücken über die Seine zu deren Ufern führen. Dort pflegen, wie fast aller Welt bekannt ist und was dennoch bei dieser Gelegenheit in das Gedächtnis der Menschen zurückgerufen zu werden verdient, die Obdachlosen von Paris zu schlafen, oder besser gesagt : zu lagern.

Einer dieser Obdachlosen nun kam dem Herrn gesetzten Alters, der übrigens wohlgekleidet war und den Eindruck eines Reisenden machte, der die Sehenswürdigkeiten fremder Städte in Augenschein zu nehmen gesonnen war, von ungefähr entgegen. Dieser Obdachlose sah zwar genauso verwahrlost und erbarmungswürdig aus wie alle die anderen, mit denen er sein Leben teilte, aber er schien dem wohlgekleideten Herrn gesetzten Alters einer besonderen Aufmerksamkeit würdig ; warum wissen wir nicht.

Es war, wie gesagt, bereits Abend, und unter den Brücken an den Ufern des Flusses dunkelte es stärker als oben auf dem Kai und auf den Brücken. Der obdachlose und sichtlich verwahrloste Mann schwankte ein wenig. Er schien den älteren, wohlangezogenen Herrn nicht zu bemerken. Dieser aber, der gar nicht schwankte, sondern sicher und geradewegs seine Schritte dahinlenkte, hatte schon offenbar von weitem den Schwankenden bemerkt. Der Herr gesetzten Alters vertrat geradezu dem verwahrlosten Mann den Weg. Beide blieben sie einander gegenüber stehen.

» Wohin gehen Sie, Bruder ? « fragte der ältere, wohlgekleidete Herr.

Der andere sah ihn einen Augenblick an, dann sagte er : » Ich wüßte nicht, daß ich einen Bruder hätte, und ich weiß nicht, wo mich der Weg hinführt. «

» Ich werde versuchen, Ihnen den Weg zu zeigen «, sagte der Herr. » Aber Sie sollen mir nicht böse sein, wenn ich Sie um einen ungewöhnlichen Gefallen bitte. «

» Ich bin zu jedem Dienst bereit «, antwortete der Verwahrloste.

» Ich sehe zwar, daß Sie manche Fehler machen. Aber Gott schickt Sie mir in den Weg. Gewiß brauchen Sie Geld, nehmen Sie mir diesen Satz nicht übel ! Ich habe zuviel. Wollen Sie mir aufrichtig sagen, wieviel Sie brauchen ? Wenigstens für den Augenblick ? «

Après avoir longtemps hésité, le clochard finit par accepter le prêt de deux cents francs. Comme il insiste pour rembourser la somme empruntée, son interlocuteur lui explique que lui non plus n'a pas de domicile fixe ; il vit avec les clochards depuis qu'il est devenu chrétien à la suite de la lecture de l'histoire de Sainte Thérèse de Lisieux. Il vénère plus particulièrement la statue de la Sainte dans la chapelle de l'église de Sainte Marie des Batignolles où le clochard pourra confier au prêtre la somme empruntée, un dimanche de son choix, après la messe. Celui-ci donne sa parole.

es sah aus, als ob .... *on aurait dit que ...*
zweihundert Francs sind mir lieber .... *je préférerais deux cents francs*
Sie scheinen mich zu verkennen .... *vous semblez mal me connaître*
aus folgenden Gründen .... *pour les raisons suivantes*
jemanden mahnen .... *rappeler qqn (promesse / dette)*
fast jeden Tag .... *presque chaque jour*
ein Mann von Ehre .... *un homme d'honneur*
eine lächerliche Summe .... *une somme ridicule*
was die Rückzahlung betrifft ... . *quant à me rendre cette somme ...*
ich muß weiter ausholen .... *il faut que je remonte loin dans le passé*
jdm etwas erklärlich machen .... *expliquer qqch à qqn*
etwas angeben .... *indiquer qqch*
nämlich .... *car, en effet*
ich verehre insbesondere .... *je vénère particulièrement*
jdn zwingen, etwas zu tun .... *forcer qqn à faire qqch*
eine Summe schuldig bleiben .... *devoir une somme*
hinterlegen Sie das Geld .... *déposez l'argent*
zu Händen des Pristers .... *entre les mains du prêtre*
die Messe lesen .... *dire la messe*
gerade etwas getan haben .... *venir de faire qqch*
Sie haben meine Ehrenhaftigkeit begriffen .... *vous avez compris que je suis un honnête homme*
Ich werde mein Wort halten .... *je tiendrai parole*

■ Le verbe *demander* se traduit par **fragen** lorsqu'il signifie **poser une question**. Exemple (page 7) : **"Wohin gehen Sie, Bruder ?" fragte der wohlgekleidete Herr.** = *"Où allez-vous frère ?" demanda l'homme habillé avec recherche.*
■ Il se traduit par **bitten (bat, hat gebeten)** lorsqu'il signifie **prier qqn / demander à qqn de faire qqch**. Exemples : **... wenn ich Sie um einen Gefallen bitte.** = *... si je puis vous demander une faveur.* **Ich bitte Sie dennoch, die zweihundert Francs anzunehmen.** = *Je vous demande cependant d'accepter ces deux cents francs.*

Der andere dachte ein paar Sekunden nach, dann sagte er : » Zwanzig Francs. «

» Das ist gewiß zu wenig «, erwiderte der Herr. » Sie brauchen sicherlich zweihundert. «

Der Verwahrloste trat einen Schritt zurück, und es sah aus, als ob er fallen sollte, aber er blieb dennoch aufrecht, wenn auch schwankend. Dann sagte er : » Gewiß sind mir zweihundert Francs lieber als zwanzig, aber ich bin ein Mann von Ehre. Sie scheinen mich zu verkennen. Ich kann das Geld, das Sie mir anbieten, nicht annehmen, und zwar aus folgenden Gründen : erstens, weil ich nicht die Freude habe, Sie zu kennen ; zweitens, weil ich nicht weiß, wie und wann ich es Ihnen zurückgeben könnte ; drittens, weil Sie auch nicht die Möglichkeit haben, mich zu mahnen. Denn ich habe keine Adresse. Ich wohne fast jeden Tag unter einer anderen Brücke des Flusses. Dennoch bin ich, wie ich schon einmal betont habe, ein Mann von Ehre, wenn auch ohne Adresse. «

» Auch ich habe keine Adresse «, antwortete der Herr gesetzten Alters, » auch ich wohne jeden Tag unter einer anderen Brücke, und ich bitte Sie dennoch, die zweihundert Francs – eine lächerliche Summe übrigens für einen Mann wie Sie – freundlich anzunehmen. Was nun die Rückzahlung betrifft, so muß ich weiter ausholen, um Ihnen erklärlich zu machen, weshalb ich Ihnen etwa keine Bank angeben kann, wo Sie das Geld zurückgeben könnten. Ich bin nämlich ein Christ geworden, weil ich die Geschichte der kleinen heiligen Therese von Lisieux gelesen habe. Und nun verehre ich insbesondere jene kleine Statue der Heiligen, die sich in der Kapelle Ste Marie des Batignolles befindet und die Sie leicht sehen werden. Sobald Sie also die armseligen zweihundert Francs haben und Ihr Gewissen Sie zwingt, diese lächerliche Summe nicht schuldig zu bleiben, gehen Sie bitte in die Ste Marie des Batignolles, und hinterlegen Sie dort zu Händen des Priesters, der die Messe gerade gelesen hat, dieses Geld. Wenn Sie es überhaupt jemandem schulden, so ist es die kleine heilige Therese. Aber vergessen Sie nicht : in der Ste Marie des Batignolles. «

» Ich sehe «, sagte da der Verwahrloste, » daß Sie mich und meine Ehrenhaftigkeit vollkommen begriffen haben. Ich gebe Ihnen mein Wort, daß ich mein Wort halten werde. Aber ich kann nur sonntags in die Messe gehen. «

Alors, l'inconnu remet les deux cents francs au clochard, le remercie d'avoir accepté son don et le regarde disparaître dans l'obscurité qui déjà enveloppe les quais de la Seine.
Après avoir noté soigneusement l'adresse de la Sainte à laquelle il devait à présent deux cents francs, Andreas le clochard, qui est un buveur invétéré, se rend dans un restaurant où il dépense une partie de la somme providentielle en mangeant et en buvant d'abondance. Puis il regagne son "domicile" sous les ponts.
Le lendemain matin, après un sommeil particulièrement réparateur, la soirée "miraculeuse" lui revient en mémoire.

er zog ... aus der Brieftasche .... *il prit ... dans son portefeuille*
es war mir ein Vergnügen .... *ce fut un plaisir pour moi*
indes sich die Laternen entzündeten .... *tandis qu'on allumait les réverbères*
in der Tat .... *en effet*
ihm war das Wunder der Bekehrung zuteil .... *il a été touché par la grâce*
geworden
was den anderen betrifft .... *quant à l'autre*
er war geradezu ein Säufer .... *il était même un alcoolique*
er lebte von Zufällen .... *il vivait d'expédients*
lange war es her .... *il y avait belle lurette*
beim kümmerlichen Schein .... *à la faible lumière*
er zog ein Stückchen Papier hervor .... *il prit un morceau de papier de sa poche*
den Stumpf von einem Bleistift .... *un petit bout de crayon*
von dieser Stunde an.. *désormais*
er klaubte sich eine Zeitung auf .... *il ramassa un journal*
früher, als er gewohnt war .... *plus tôt que d'habitude*
nach langer Überlegung .... *après avoir longuement réfléchi*
ein Wunder erleben .... *vivre qqch de merveilleux, un miracle*

■ Beaucoup de verbes allemands sont assortis d'un préfixe qui en précise ou modifie le sens. Exemples : **schreiben** = *écrire*, **sich etwas aufschreiben** = *noter qqch*, **gehen** = *marcher*, **hinaufgehen** = *monter*, **geben** = *donner*, **ausgeben** = *dépenser*. Ces préfixes se séparent du verbe conjugué, ils se mettent à la fin de la proposition. Exemples : **... er schrieb sich die Adresse auf, ... er trat ein und gab viel Geld aus. Zu** à l'infinitif ainsi que **ge** au participe passé sont intercalés entre le préfixe et le verbe. Exemple : **... um sich zuzudecken, ... zugedeckt von der Zeitung.**

» Bitte, sonntags «, sagte der ältere Herr. Er zog zweihundert Francs aus der Brieftasche, gab sie dem Schwankenden und sagte : » Ich danke Ihnen ! «

» Es war mir ein Vergnügen «, antwortete dieser und verschwand alsbald in der tiefen Dunkelheit.

Denn es war inzwischen unten finster geworden, indes oben, auf den Brücken und an den Kais, sich die silbernen Laternen entzündeten, um die fröhliche Nacht von Paris zu verkünden.

II

Auch der wohlgekleidete Herr verschwand in der Finsternis. Ihm war in der Tat das Wunder der Bekehrung zuteil geworden. Und er hatte beschlossen, das Leben der Ärmsten zu führen. Und er wohnte deshalb unter der Brücke.

Aber was den anderen betrifft, so war er ein Trinker, geradezu ein Säufer. Er hieß Andreas. Und er lebte von Zufällen, wie viele Trinker. Lange war es her, daß er zweihundert Francs besessen hatte. Und vielleicht deshalb, weil es so lange her war, zog er beim kümmerlichen Schein einer der seltenen Laternen unter einer der Brücken ein Stückchen Papier hervor und den Stumpf von einem Bleistift und schrieb sich die Adresse der kleinen heiligen Therese auf und die Summe von zweihundert Francs, die er ihr von dieser Stunde an schuldete. Er ging eine der Treppen hinauf, die von den Ufern der Seine zu den Kais hinaufführen. Dort, das wußte er, gab es ein Restaurant. Und er trat ein, und er aß und trank reichlich, und er gab viel Geld aus, und er nahm noch eine ganze Flasche mit, für die Nacht, die er unter der Brücke zu verbringen gedachte, wie gewöhnlich. Ja, er klaubte sich sogar noch eine Zeitung aus einem Papierkorb auf. Aber nicht, um in ihr zu lesen, sondern um sich mit ihr zuzudecken. Denn Zeitungen halten warm, das wissen alle Obdachlosen.

III

Am nächsten Morgen stand Andreas früher auf, als er gewohnt war, denn er hatte ungewöhnlich gut geschlafen. Er erinnerte sich nach langer Überlegung, daß er gestern ein Wunder erlebt hatte, ein Wunder. Und da

Andreas décide de fêter l'événement en faisant une toilette dans la Seine, après laquelle il se sent comme entièrement purifié. Le miracle de la veille semble l'avoir transformé. Sur le chemin menant vers le minable restaurant, où il a ses habitudes de buveur de vin, il achète un journal et s'aperçoit que c'est le jour de son anniversaire. Encore un événement à fêter ! Pris de bonnes résolutions, il rompt avec ses habitudes et entre dans un "bistro bourgeois" où il s'assoit – encore une chose inhabituelle – à une table face à une glace.

wie seit langem nicht .... *comme cela ne lui était pas arrivé depuis longtemps*
seine Kleider ablegen .... *enlever ses habits*
in die innere Rocktasche .... *dans la poche intérieure de sa veste*
der greifbare Rest .... *ce qui était encore tangible*
eine abgelegene Stelle .... *un endroit situé à l'écart*
an der Böschung .... *le long de la rive escarpée*
zumindest .... *au moins*
armselige Menschen seiner Art .... *de pauvres hères de son espèce*
wie er sich im stillen nannte .... *comme il se le disait dans son for intérieur*
er verzichtete auf sein Vorhaben .... *il renonca à son projet*
er begnügte sich damit .... *il s'en contenta*
hierauf .... *ceci fait, puis*
vollständig gesäubert .... *entièrement nettoyé, purifié*
er kam sich verwandelt vor .... *il lui semblait qu'il avait changé*
er ging in den Tag hinein .... *il entama une journée*
seit undenklichen Zeiten .... *depuis des temps immémoriaux*
einen Tag vertun .... *ne rien faire de sa journée*
das kärgliche Geld .... *les modestes sommes*
an etwas vorbeikommen .... *passer devant qqch*
die Wochenschrift .... *l'hebdomadaire*
von der Neugier erfaßt .... *pris de curiosité*
eine kindliche Freude .... *une joie enfantine*
sich guten Vorsätzen hingeben .... *prendre de bonnes résolutions*
er ging selbstbewuß trotz seiner zerlumpten Kleidung .... *il marchait plein d'assurance en dépit de ses haillons*
an der Theke stehen .... *être debout au comptoir*
der Spiegel .... *glace, miroir*

■ De nombreux verbes allemands sont suivis d'une préposition différente de la préposition française. Exemples : **Er verzichtete auf sein Vorhaben.** = *Il renonça à son projet.* **Er begnügte sich damit.** = *Il s'en contenta.* **Ohne nach dem Datum zu sehen.** = *Sans regarder la date.* **Er hatte sich vor Spiegeln gefürchtet.** = *Il avait eu peur des miroirs.*

er in dieser letzten warmen Nacht, zugedeckt von der Zeitung, besonders gut geschlafen zu haben glaubte, wie seit langem nicht, beschloß er auch, sich zu waschen, was er seit vielen Monaten, nämlich in der kälteren Jahreszeit, nicht getan hatte. Bevor er aber seine Kleider ablegte, griff er noch einmal in die innere linke Rocktasche, wo, seiner Erinnerung nach, der greifbare Rest des Wunders sich befinden mußte. Nun suchte er eine besonders abgelegene Stelle an der Böschung der Seine, um sich zumindest Gesicht und Hals zu waschen. Da es ihm aber schien, daß überall Menschen, armselige Menschen seiner Art eben (verkommen, wie er sie auf einmal selbst im stillen nannte), seiner Waschung zusehen könnten, verzichtete er schließlich auf sein Vorhaben und begnügte sich damit, nur die Hände ins Wasser zu tauchen. Hierauf zog er sich den Rock wieder an, griff noch einmal nach dem Schein in der linken inneren Tasche und kam sich vollständig gesäubert und geradezu verwandelt vor.

Er ging in den Tag hinein, in einen seiner Tage, die er seit undenklichen Zeiten zu vertun gewohnt war, entschlossen, sich auch heute in die gewohnte Rue des Quatre Vents zu begeben, wo sich das russisch-armenische Restaurant Tari-Bari befand und wo er das kärgliche Geld, das ihm der tägliche Zufall beschied, in billigen Getränken anlegte.

Allein an dem ersten Zeitungskiosk, an dem er vorbeikam, blieb er stehen, angezogen von den Illustrationen mancher Wochenschriften, aber auch plötzlich von der Neugier erfaßt, zu wissen, welcher Tag heute sei, welches Datum und welchen Namen dieser Tag trage. Er kaufte also eine Zeitung und sah, daß es ein Donnerstag war, und erinnerte sich plötzlich, daß er an einem Donnerstag geboren worden war, und ohne nach dem Datum zu sehen, beschloß er, diesen Donnerstag gerade für seinen Geburtstag zu halten. Und da er schon von einer kindlichen Feiertagsfreude ergriffen war, zögerte er auch nicht mehr einen Augenblick, sich guten, ja edlen Vorsätzen hinzugeben und nicht in das Tari-Bari einzutreten, sondern, die Zeitung in der Hand, in eine bessere Taverne, um dort einen Kaffee, allerdings mit Rum arrosiert, zu nehmen und ein Butterbrot zu essen.

Er ging also, selbstbewußt, trotz seiner zerlumpten Kleidung, in ein bürgerliches Bistro, setzte sich an einen Tisch, er, der seit so langer Zeit nur an der Theke zu stehen gewohnt war, das heißt : an ihr zu lehnen. Er setzte sich also. Und da sich seinem Sitz gegenüber ein Spiegel befand,

Installé pour la première fois depuis longtemps en face d'une glace, Andreas découvre avec horreur l'étendue de sa déchéance physique. C'est avant tout se son visage mal rasé dont il a honte. Décidé de changer sa vie, il va chez un coiffeur et revient au café, transformé et comme rajeuni. Lorsque, de la voix assurée qui autrefois fut la sienne, il commande son café – tout de même arrosé de rhum – lorsqu'il découvre avec ravissement le respect avec lequel le garçon le traite. C'est alors qu'un autre client, après l'avoir longuement dévisagé, s'adresse à lui et lui propose un travail.

er konnte nicht umhin, sein Angesicht zu betrachten .... *il ne put s'empêcher de regarder son visage*
da erschrak er allerdings .... *il était effrayé au plus haut point*
es war nicht gut .... *il n'était pas agréable*
die Verkommenheit .... *la déchéance*
mit eigenen Augen sehen .... *voir de ses propres yeux*
das herstammte aus der Zeit .... *qui était encore de l'époque*
die wohlanständigen Männer .... *les hommes très convenables*
in seiner Nachbarschaft .... *autour de lui, ses voisins*
schlecht und recht .... *tant bien que mal*
wie es eben ging .... *tant bien que mal*
sein Schicksalsgenosse .... *son compagnon d'infortune*
hie und da .... *de temps à autre*
gegen ein geringes Entgeld .... *contre une rétribution modeste*
jetzt galt es .... *à présent, il fallait/il importait*
gedacht, getan .... *aussitôt dit, aussitôt fait*
einen Platz einnehmen .... *occuper une place*
es reichte vollkommen .... *c'était tout à fait suffisant*
verjüngt und verschönt .... *rajeuni et d'aspect plus avenant*
die Zerlumptheit der Kleider .... *l'état déplorable de ses vêtements*
sichtlich zerschlissen .... *visiblement usagé, usé*
die Hemdbrust .... *le devant de sa chemise*
geschlungen um den Kragen mit risssigem Rand .... *noué autour du col dont les bords s'effilochaient*
im Bewußtsein .... *conscient de*
dereinst .... *jadis*
mit allem gehörigen Respekt .... *avec tout le respect qui lui est dû*
jdm etwas bezeugen .... *témoigner qqch à qqn*
dies schmeichelte ihm .... *cela le flattait*
jdm eine Annahme bestätigen .... *confirmer qqn dans son idée*
übersiedeln .... *déménager*

■ Vous trouvez dans ce passage de nombreuses propositions relatives. Comme dans toute subordonnée, le verbe se place à la fin. Exemples : **... mit jenen, die in seiner Nahbarschaft saßen.** = *avec ceux qui étaient assis à côté de lui.* **... der Platz, den er vorher eingenommen hatte.** = *... la place qu'il avait occupée auparavant.* Si cette règle n'est pas observée, il s'agit d'une tournure d'insistance. Exemple : **... das alte, das herstammte aus der Zeit vor der Verkommenheit.** = *... l'ancien visage, qui était celui d'avant sa déchéance.*

konnte er auch nicht umhin, sein Angesicht zu betrachten, und es war ihm, als machte er jetzt aufs neue mit sich selbst Bekanntschaft. Da erschrak er allerdings. Er wußte auch zugleich, weshalb er sich in den letzten Jahren vor Spiegeln so gefürchtet hatte. Denn es war nicht gut, die eigene Verkommenheit mit eigenen Augen zu sehen. Und solange man es nicht anschauen mußte, war es beinahe so, als hätte man entweder überhaupt kein Angesicht oder noch das alte, das herstammte aus der Zeit vor der Verkommenheit.

Jetzt aber erschrak er, wie gesagt, insbesondere, da er seine Physiognomie mit jenen der wohlanständigen Männer verglich, die in seiner Nachbarschaft saßen. Vor acht Tagen hatte er sich rasieren lassen, schlecht und recht, wie es eben ging, von einem seiner Schicksalsgenossen, die hie und da bereit waren, einen Bruder zu rasieren, gegen ein geringes Entgelt. Jetzt aber galt es, da man beschlossen hatte, ein neues Leben zu beginnen, sich wirklich, sich endgültig rasieren zu lassen. Er beschloß, in einen richtigen Friseurladen zu gehen, bevor er noch etwas bestellte.

Gedacht, getan – und er ging in einen Friseurladen.

Als er in die Taverne zurückkam, war der Platz, den er vorher eingenommen hatte, besetzt und er konnte sich also von ferne im Spiegel sehn. Aber es reichte vollkommen, damit er erkenne, daß er verändert sei, verjüngt und verschönt. Ja, es war, als ginge von seinem Angesicht ein Glanz aus, der die Zerlumptheit der Kleider unbedeutend machte und die sichtlich zerschlissene Hemdbrust – und die rot-weiß gestreifte Krawatte, geschlungen um den Kragen mit rissigem Rand.

Also setzte er sich, unser Andreas, und im Bewußtsein seiner Erneuerung bestellte er mit jener sicheren Stimme, die er dereinst besessen hatte und die ihm jetzt wieder, wie eine alte liebe Freundin, zurückgekommen schien, einen » café, arrosé rhum «. Diesen bekam er auch, und, wie er zu bemerken glaubte, mit allem gehörigen Respekt, wie er sonst von Kellnern ehrwürdigen Gästen gegenüber bezeugt wird. Dies schmeichelte unserm Andreas besonders, es erhöhte ihn auch, und es bestätigte ihm seine Annahme, daß er gerade heute Geburtstag habe.

Ein Herr, der allein in der Nähe des Obdachlosen saß, betrachtete ihn längere Zeit, wandte sich um und sagte : » Wollen Sie Geld verdienen ? Sie können bei mir arbeiten. Ich übersiedle nämlich morgen. Sie könnten

Il s'agit d'aider lors d'un déménagement qui doit avoir lieu le lendemain. Andreas accepte avec empressement et les deux hommes se mettent d'accord sur le salaire : deux cents francs. Ils scellent leur accord avec deux tournées de pernod dont la deuxième sera offerte par Andreas qui insiste sur son honorabilité de "travailleur".
Avant de partir, l'homme tire d'un portefeuille son adresse et un acompte de cent francs. Admirant l'élégance du geste, Andreas décide de s'acheter lui aussi un portefeuille et il se rend dans une maroquinerie.

den Möbelpackern helfen .... *aider les déménageurs*
was verlangen Sie .... *combien demandez-vous*
eine Wohnung beziehen .... *emmenager dans un logement*
Bitte, ich bin dabei ! .... *entendu, comptez sur moi !*
sie stießen an .... *ils trinquèrent*
miteinander einig werden .... *tomber d'accord*
der Preis betrug 200 Francs .... *le prix s'élevait à 200 francs*
trinken Sie noch einen ? .... *voulez-vous un autre verre ?*
schwielige Arbeiterhände .... *les mains calleuses d'un ouvrier*
das hab' ich gern ! .... *à la bonne heure !*
funkelnde Augen .... *des yeux qui brillent*
ein kleiner Schnurrbart .... *une barbiche*
im ganzen genommen .... *somme toute*
die zweite Runde .... *la deuxième tournée*
sich erheben .... *se lever*
morgen früh um acht .... *demain matin à huit heures*
die Aussicht, mehr zu verdienen .... *la perspective de gagner plus*
sich etwas anschaffen .... *se procurer qqch*
auf die Suche nach + datif .... *à la recherche de qqch*
der Lederwarenladen .... *la maroquinerie*

■ Le radical des verbes irréguliers au prétérit a une voyelle différente de celle de l'infinitif. Vous en trouverez de nombreux exemples dans ce passage. Exemples : **anstossen → sie stießen an, betragen → der Preis betrug, gefallen → er gefiel, trinken → sie tranken, sich erheben → der Herr erhob sich, ziehen → er zog, schreiben → er schrieb.**

meiner Frau und auch den Möbelpackern helfen. Mir scheint, Sie sind kräftig genug. Sie können doch ? Sie wollen doch ? «

» Gewiß will ich «, antwortete Andreas.

» Und was verlangen Sie «, fragte der Herr, » für eine Arbeit von zwei Tagen ? Morgen und Samstag ? Denn ich habe eine ziemlich große Wohnung, müssen Sie wissen, und ich beziehe eine noch größere. Und viele Möbel habe ich auch. Und ich selbst habe in meinem Geschäft zu tun. «

» Bitte, ich bin dabei ! « sagte der Obdachlose.

» Trinken Sie ? « fragte der Herr. Und er bestellte zwei Pernods, und sie stießen an, der Herr und der Andreas, und sie wurden miteinander auch über den Preis einig : er betrug zweihundert Francs.

» Trinken wir noch einen ? « fragte der Herr, nachdem er den ersten Pernod geleert hatte.

» Aber jetzt werde ich zahlen «, sagte der obdachlose Andreas. » Denn Sie kennen mich nicht : ich bin ein Ehrenmann. Ein ehrlicher Arbeiter. Sehen Sie meine Hände ! « – Und er zeigte seine Hände her. – » Es sind schmutzige, schwielige, aber ehrliche Arbeiterhände. «

» Das hab' ich gern ! « sagte der Herr. Er hatte funkelnde Augen, ein rosa Kindergesicht und genau in der Mitte einen schwarzen, kleinen Schnurrbart. Es war, im ganzen genommen, ein ziemlich freundlicher Mann, und Andreas gefiel er gut.

Sie tranken also zusammen, und Andreas zahlte die zweite Runde. Und als sich der Herr mit dem Kindergesicht erhob, sah Andreas, daß er sehr dick war. Er zog eine Visitenkarte aus der Brieftasche und schrieb seine Adresse darauf. Und hierauf zog er noch einen Hundertfrancsschein aus der gleichen Brieftasche, überreichte beides dem Andreas und sagte dazu : » Damit Sie auch sicher morgen kommen ! Morgen früh um acht ! Vergessen Sie nicht ! Und den Rest bekommen Sie ! Und nach der Arbeit trinken wir wieder einen Aperitif zusammen. Auf Wiedersehen ! lieber Freund ! « - Dann ging der Herr, der dicke, mit dem Kindergesicht, und den Andreas verwunderte nichts mehr als dies, daß der dicke Mann die Adresse aus der gleichen Tasche gezogen hatte wie das Geld.

Nun, da er Geld besaß und noch Aussicht hatte, mehr zu verdienen, beschloß er, sich ebenfalls eine Brieftasche anzuschaffen. Zu diesem Zweck begab er sich auf die Suche nach einem Lederwarenladen. In dem ersten,

La vue de la jolie vendeuse lui rappelle les femmes qu'il a aimées, mais il ne se souvient que du visage de celle à cause de qui il a fait de la prison. Muni d'un portefeuille bon marché qu'un client avait échangé contre un plus beau, il quitte la boutique, prend le chemin de Montmartre où il sait trouver une fille accueillante avec laquelle il passera la nuit.
Le lendemain matin, Andreas se rend comme convenu chez son nouvel employeur. Le travail, bien que très dur, lui convient. C'est avec un plaisir certain qu'il aide la maîtresse de maison tout au long de la journée.

ein weißes Lätzchen .... *une lavallière blanche*
mit Löckchen am Kopf .... *les cheveux tout bouclés*
ein Goldreifen am Handgelenk .... *un bracelet d'or au poignet*
er sagte heiter .... *il dit d'une voix enjouée*
ein flüchtiger Blick .... *un regard distrait*
abschätzen .... *cataloguer*
überflüssige Fragen ersparen .... *éviter des questions inutiles*
sie stieg eine Leiter hinauf .... *elle monta sur une échelle*
die Schachtel .... *la boîte*
gegen andere eintauschen .... *échanger contre qqch d'autre*
schlanke Halbschuhe .... *des escarpins fins*
eine Wade streicheln .... *caresser un mollet*
er erinnerte sich nicht mehr der Gesichter mit .... *il ne se souvenait plus des visages*
Ausnahme eines *à l'exception d'un seul*
im Gefängnis sitzen .... *faire de la prison*
zuoberst liegen .... *être placé sur le dessus*
zerstreut .... *d'un air distrait*
in die Richtung gehen .... *aller en direction de, se diriger*
jene Stätten, an denen er früher Lust genossen hatte ... *ces lieux où jadis il connut le plaisir*
in einem steilen Gäßchen .... *dans une ruelle escarpée*
bis in den grauenden Morgen .... *jusqu'à l'aube*
der Möbelpacker .... *le déménageur*
ein Werk verrichten .... *accomplir une tâche*
schwierige Hilfeleistungen .... *des tâches difficiles*

■ La tournure française "en + participe présent" est rendue idiomatiquement en allemand par deux propositions reliées par "und". Deux exemples dans ce passage : **Er nahm den Hut ab und sagte ...** = *Il tira son chapeau en disant* .... **Er setzte den Hut wieder auf und lächelte dem Mädchen zu, ...** = *Il remit son chapeau en adressant un sourire à la fille, ...*

der auf seinem Wege lag, stand eine junge Verkäuferin. Sie erschien ihm sehr hübsch, wie sie so hinter dem Ladentisch stand, in einem strengen, schwarzen Kleid, ein weißes Lätzchen über der Brust, mit Löckchen am Kopf und einem schweren Goldreifen am rechten Handgelenk. Er nahm den Hut vor ihr ab und sagte heiter : » Ich suche eine Brieftasche. « Das Mädchen warf einen flüchtigen Blick auf seine schlechte Kleidung, aber es war nichts Böses in ihrem Blick, sondern sie hatte den Kunden nur einfach abschätzen wollen. Denn es befanden sich in ihrem Laden teure, mittelteure und ganz billige Brieftaschen. Um überflüssige Fragen zu ersparen, stieg sie sofort eine Leiter hinauf und holte eine Schachtel aus der höchsten Etage. Dort lagerten nämlich die Brieftaschen, die manche Kunden zurückgebracht hatten, um sie gegen andere einzutauschen. Hierbei sah Andreas, daß dieses Mädchen sehr schöne Beine und sehr schlanke Halbschuhe hatte, und er erinnerte sich jener halbvergessenen Zeiten, in denen er selbst solche Waden gestreichelt, solche Füße geküßt hatte ; aber der Gesichter erinnerte er sich nicht mehr, der Gesichter der Frauen ; mit Ausnahme eines einzigen, nämlich jenes, für das er im Gefängnis gesessen hatte. Indessen stieg das Mädchen von der Leiter, öffnete die Schachtel, und er wählte eine der Brieftaschen, die zuoberst lagen, ohne sie näher anzusehen. Er zahlte und setzte den Hut wieder auf und lächelte dem Mädchen zu, und das Mädchen lächelte wieder. Zerstreut steckte er die neue Brieftasche ein, aber das Geld ließ er daneben liegen. Ohne Sinn erschien ihm plötzlich die Brieftasche. Hingegen beschäftigte er sich mit der Leiter, mit den Beinen, mit den Füßen des Mädchens. Deshalb ging er in die Richtung des Montmartre, jene Stätten zu suchen, an denen er früher Lust genossen hatte. In einem steilen und engen Gäßchen fand er auch die Taverne mit den Mädchen. Er setzte sich mit mehreren an einen Tisch, bezahlte eine Runde und wählte eines von den Mädchen, und zwar jenes, das ihm am nächsten saß. Hierauf ging er zu ihr. Und obwohl es erst Nachmittag war, schlief er bis in den grauenden Morgen – und weil die Wirte gutmütig waren, ließen sie ihn schlafen.

Am nächsten Morgen, am Freitag also, ging er zu der Arbeit, zu dem dicken Herrn. Dort galt es, der Hausfrau beim Einpacken zu helfen, und obwohl die Möbelpacker bereits ihr Werk verrichteten, blieben für Andreas noch genug schwierige und weniger harte Hilfeleistungen übrig. Doch spürte er im Laufe des Tages die Kraft seiner Muskeln zurückkeh

Andreas ne comprend que difficilement l'agitation de la maîtresse de maison ce jour de déménagement, mais après tout, "c'est une dame"... . Le soir, celle-ci lui donne un pourboire en lui recommandant de ne pas abuser du vin, et l'incite à se présenter à l'heure le jour suivant.
Après avoir passé la nuit dans un petit hôtel, Andreas se rend à son travail où la maîtresse de maison l'attend déjà, satisfaite de ce qu'il n'ait pas dépensé tout son argent en boissons (comment le sait-elle ? Mystère ...). Le travail de la journée accompli, on lui paie le salaire convenu.

übrigbleiben .... *rester (à faire)*
er freute sich der Arbeit .... *il avait du coeur à l'ouvrage*
jdn aufregen .... *énerver qqn*
einen sinnlosen Befehl erteilen .... *donner un ordre absurde*
mit einem einzigen Atemzug .... *au même moment, simultanément*
er wußte nicht, wo ihm der Kopf stand .... *il ne savait où donner de la tête*
er sah es ein .... *il le comprenait bien*
es konnte ihr nicht leichtfallen .... *ce n'était pas une mince affaire*
mir nichts, dir nichts .... *soudain, sans coup férir*
sich die Lippen schminken .... *(re)mettre du rouge à lèvres*
er begriff es vortrefflich .... *il le comprenait parfaitement*
das Beutelchen .... *la petite bourse*
Silbermünzen lagen darin .... *il y avait des pièces d'argent*
hier ein Trinkgeld ! .... *voici un pourboire pour vous !*
vertrinken Sie's nicht ganz ! .... *ne gaspillez pas tout en boissons !*
kommen Sie pünktlich !` .... *soyez à l'heure !*
er ging frisch an seine Arbeit .... *reposé, il se rendit à son travail*
wie am vorigen Tage .... *comme la veille*
Sie sind meiner Mahnung gefolgt .... *vous avez fait ce que je vous ai demandé*

■ Les idiomatismes et adverbes de temps sont nombreux dans ce passage et le précédent. Exemples : **es war erst Nachmittag** = *on n'était que l'après-midi,* **am nächsten Morgen** = *le lendemain matin,* **im Laufe des Tages** = *au cours de la journée,* **morgen** = *demain,* **von Zeit zu Zeit** = *de temps en temps,* **den ganzen Tag** = *toute la journée,* **um sieben Uhr früh** = *à sept heures du matin,* **am vorigen Tage** = *la veille,* **gestern** = *hier.*

ren und freute sich der Arbeit. Denn bei der Arbeit war er aufgewachsen, ein Kohlenarbeiter, wie sein Vater, und noch ein wenig ein Bauer, wie sein Großvater. Hätte ihn nur die Frau des Hauses nicht so aufgeregt, die ihm sinnlose Befehle erteilte und ihn mit einem einzigen Atemzug hierhin und dorthin beorderte, so daß er nicht wußte, wo ihm der Kopf stand. Aber sie selbst war aufgeregt, er sah es ein. Es konnte auch ihr nicht leichtfallen, so mir nichts, dir nichts zu übersiedeln, und vielleicht hatte sie auch Angst vor dem neuen Haus. Sie stand angezogen, im Mantel, mit Hut und Handschuhen, Täschchen und Regenschirm, obwohl sie doch hätte wissen müssen, daß sie noch einen Tag und eine Nacht und auch morgen noch im Hause verbleiben müsse. Von Zeit zu Zeit mußte sie sich die Lippen schminken, Andreas begriff es vortrefflich. Denn sie war eine Dame.

Andreas arbeitete den ganzen Tag. Als er fertig war, sagte die Frau des Hauses zu ihm : » Kommen Sie morgen pünktlich um sieben Uhr früh. « Sie zog ein Beutelchen aus ihrem Täschchen, Silbermünzen lagen darin. Sie suchte lange, ergriff ein Zehnfrancsstück, ließ es aber wieder ruhen, dann entschloß sie sich, fünf Francs hervorzuziehen. » Hier ein Trinkgeld ! « sagte sie. » Aber «, so fügte sie hinzu, » vertrinken Sie's nicht ganz, und seien Sie pünktlich morgen hier ! «

Andreas dankte, ging, vertrank das Trinkgeld, aber nicht mehr. Er verschlief diese Nacht in einem kleinen Hotel.

Man weckte ihn um sechs Uhr morgens. Und er ging frisch an seine Arbeit.

IV

So kam er am nächsten Morgen früher noch als die Möbelpacker. Und wie am vorigen Tage stand die Frau des Hauses schon da, angekleidet, mit Hut und Handschuhen, als hätte sie sich gar nicht schlafen gelegt, und sagte zu ihm freundlich : » Ich sehe also, daß Sie gestern meiner Mahnung gefolgt sind und wirklich nicht alles Geld vertrunken haben. «

Nun machte sich Andreas an die Arbeit. Und er begleitete noch die Frau in das neue Haus, in das sie übersiedelten, und wartete, bis der freundliche, dicke Mann kam, und der bezahlte ihm den versprochenen Lohn.

Andreas passe une partie de la soirée à boire mais sans excès car il a l'intention de se rendre le lendemain à la chapelle des Batignolles pour payer au moins une partie de sa dette.
Dès son réveil dans un hôtel "convenable", Andreas sait que la journée, un dimanche, ne sera pas comme les autres. Arrivé devant l'église, il s'aperçoit que la messe vient de se terminer et en attendant la suivante, il se rend, cédant à une vieille habitude, dans un café où il se laisse aller à boire plus que de raison.

ich lade Sie auf einen Trunk ein .... *je vous offre quelque chose à boire*
etwas verhindern .... *empêcher qqch*
jdm den Weg verstellen .... *se mettre en travers de la route*
an der Theke trinken .... *boire au comptoir*
er betrank sich nicht .... *il ne s'enivra pas*
achtgeben .... *faire attention*
eingedenk seines Versprechens .... *fidèle à sa promesse*
seine Schuld abstatten .... *rembourser sa dette*
mit dem Instinkt, den nur die Armut verleiht........... *avec l'instinct du pauvre*
er zahlte im voraus .... *il paya d'avance*
kein Gepäck .... *pas de bagages*
er machte sich gar nichts daraus .... *il ne se faisait aucun souci*
das Dröhnen der Glocken .... *le bruit des cloches qui sonnent*
flugs fuhr er in die Kleider .... *rapidement, il enfila ses habits*
er kam nicht rechtzeitig an .... *il n'arriva pas à temps*
die Leute strömten ihm entgegen .... *la foule venait à sa rencontre*
er wurde ein wenig ratlos .... *il était quelque peu perplexe*
keineswegs .... *nullement, à aucun prix*
schräg gegenüber .... *un peu plus loin et en face*

■ Les nombres ordinaux se forment grâce à la terminaison **te(n)**. Exemples : **... er trank noch einen zweiten, und als gar der vierte kam, ... Der erste** et **der dritte** sont des exceptions. A partir de vingt, la terminaison est **ste(n)**. Exemple : **der zwanzigste, der hunderste.**

■ der Mensch a une déclinaison particulière, tous les cas sauf le nominatif singulier se terminent par **en**. Exemple : **Mit der Sicherheit eines Menschen, der ...** = *Avec l'assurance d'un homme (de quelqu'un) qui ...*

» Ich lade Sie noch auf einen Trunk ein «, sagte der dicke Herr. » Kommen Sie mit. «

Aber die Frau des Hauses verhinderte es, denn sie trat dazwischen und verstellte geradezu ihrem Mann den Weg und sagte : » Wir müssen gleich essen. « Also ging Andreas allein weg, trank allein und aß allein an diesem Abend und trat noch in zwei Tavernen ein, um an den Theken zu trinken. Er trank viel, aber er betrank sich nicht und gab acht, daß er nicht zuviel Geld ausgäbe, denn er wollte morgen, eingedenk seines Versprechens, in die Kapelle Ste Marie des Batignolles gehen, um wenigstens einen Teil seiner Schuld an die kleine heilige Therese abzustatten. Allerdings trank er gerade so viel, daß er nicht mehr mit einem ganz sicheren Auge und mit dem Instinkt, den nur die Armut verleiht, das allerbilligste Hotel jener Gegend finden konnte.

Also fand er ein etwas teureres Hotel, und auch hier zahlte er im voraus, weil er zerschlissene Kleider und kein Gepäck hatte. Aber er machte sich gar nichts daraus und schlief ruhig, ja, bis in den Tag hinein. Er erwachte durch das Dröhnen der Glocken einer nahen Kirche und wußte sofort, was heute für ein wichtiger Tag sei : ein Sonntag ; und daß er zur kleinen heiligen Therese müsse, um ihr seine Schuld zurückzuzahlen. Flugs fuhr er nun in die Kleider und begab sich schnellen Schrittes zu dem Platz, wo sich die Kapelle befand. Er kam aber dennoch nicht rechtzeitig zur Zehn-Uhr-Messe an, die Leute strömten ihm gerade aus der Kirche entgegen. Er fragte, wann die nächste Messe beginne, und man sagte ihm, sie fände um zwölf Uhr statt. Er wurde ein wenig ratlos, wie er so vor dem Eingang der Kapelle stand. Er hatte noch eine Stunde Zeit, und diese wollte er keineswegs auf der Straße verbringen. Er sah sich also um, wo er am besten warten könne, und erblickte rechts schräg gegenüber der Kapelle ein Bistro, und dorthin ging er und beschloß, die Stunde, die ihm übrigblieb, abzuwarten.

Mit der Sicherheit eines Menschen, der Geld in seiner Tasche weiß, bestellte er einen Pernod, und er trank ihn auch mit der Sicherheit eines Menschen, der schon viele in seinem Leben getrunken hatte. Er trank noch einen zweiten und einen dritten, und er schüttete immer weniger Wasser in sein Glas nach. Und als gar der vierte kam, wußte er nicht mehr, ob er zwei, fünf oder sechs Gläser getrunken hatte. Auch erinnerte er sich nicht mehr, weshalb er in dieses Café und an diesen Ort geraten

En quittant le café, se souvenant soudain pourquoi il était venu près de cette chapelle, une voix de femme l'interpelle. Andreas se retourne et reconnaît Karoline, la femme à cause de laquelle il était allé en prison. Il la prend dans ses bras, puis, pressé de questions, il lui avoue qu'il a rendez-vous "avec la petite Thérèse". Aussitôt, Karoline, prise de jalousie, fait arrêter un taxi qui les conduit à la campagne devant un restaurant qu'elle semble connaître. C'est elle qui paie la course, Andreas se contentant de la suivre.

lediglich .... *seulement*
einer Pflicht gehorchen .... *satisfaire à une obligation*
aus verschütteten Zeiten .... *d'une époque oubliée/révolue*
er hielt inne .... *il s'arrêta*
das Gesicht, dessentwegen .... *le visage à cause duquel*
im Nu .... *aussitôt, en un clin d'œil*
wir wollen uns aussprechen .... *nous allons en discuter*
ich bin verabredet .... *j'ai un rendez-vous*
mit einem Frauenzimmer .... *avec une femme*
sie hat nichts zu bedeuten .... *elle n'a guère d'importance pour moi*
ehe er es sich versehen hatte .... *avant qu'il ne reprenne ses esprits*
sie rasten dahin .... *ils avançaient à une grande vitesse*
weiß Gott, in welche Gefilde .... *vers quelle destination, Dieu seul le sait*
lichtgrün, vorfrühlingsgrün war .... *le paysage était d'un vert*
die Landschaft .... *lumineux et printanier*
mit Sturmesschritt .... *au pas de charge*
über seine Knie hinweg .... *par dessus ses genoux*

■ Certaines prépositions se construisent avec le génitif. Exemples : **... eine Gegend außerhalb der Stadt.** = *un endroit situé en dehors de la ville.* **Wegen** que vous voyez ici composé avec le pronom relatif au génitif : **dessentwegen er im Gefängnis gesessen hatte.** = *... à cause du quel il était allé en prison.*

sei. Er wußte lediglich noch, daß er hier einer Pflicht, einer Ehrenpflicht, zu gehorchen hatte, und er zahlte, erhob sich, ging, immerhin noch sicheren Schrittes, zur Tür hinaus, erblickte die Kapelle schräg links gegenüber und wußte sofort wiederum, wo, warum und wozu er sich hier befinde. Eben wollte er den ersten Schritt in die Richtung der Kapelle lenken, als er plötzlich seinen Namen rufen hörte. » Andreas ! « rief eine Stimme, eine Frauenstimme. Sie kam aus verschütteten Zeiten. Er hielt inne und wandte den Kopf nach rechts, woher die Stimme gekommen war. Und er erkannte sofort das Gesicht, dessentwegen er im Gefängnis gesessen war. Es war Karoline.

Karoline ! Zwar trug sie Hut und Kleider, die er nie an ihr gekannt hatte, aber es war doch ihr Gesicht, und also zögerte er nicht, ihr in die Arme zu fallen, die sie im Nu ausgebreitet hatte. » Welch eine Begegnung «, sagte sie. Und es war wahrhaftig ihre Stimme, die Stimme der Karoline.

» Bist du allein ? « fragte sie.

» Ja «, sagte er, » ich bin allein. «

» Komm, wir wollen uns aussprechen «, sagte sie.

» Aber, aber «, erwiderte er, » ich bin verabredet. «

» Mit einem Frauenzimmer ? « fragte sie.

» Ja «, sagte er furchtsam.

» Mit wem ? «

» Mit der kleinen Therese «, antwortete er.

» Sie hat nichts zu bedeuten «, sagte Karoline.

In diesem Augenblick fuhr ein Taxi vorbei, und Karoline hielt es mit ihrem Regenschirm auf. Und schon sagte sie eine Adresse dem Chauffeur, und ehe sich es noch Andreas versehen hatte, saß er drinnen im Wagen neben Karoline, und schon rollten sie, schon rasten sie dahin, wie es Andreas schien, durch teils bekannte, teils unbekannte Straßen, weiß Gott, in welche Gefilde !

Jetzt kamen sie in eine Gegend außerhalb der Stadt ; lichtgrün, vorfrühlingsgrün war die Landschaft, in der sie hielten, das heißt der Garten, hinter dessen spärlichen Bäumen sich ein verschwiegenes Restaurant verbarg.

Karoline stieg zuerst aus ; mit dem Sturmesschritt, den er an ihr gewohnt war, stieg sie zuerst aus, über seine Knie hinweg. Sie zahlte, und er

Karoline commande un copieux repas et interroge Andreas sur ce qu'il a fait depuis qu'ils ne se sont pas vus. Il évoque sa vie de clochard, mais lorsque sa compagne fait allusion à cette Thérèse avec laquelle il avait rendez-vous, il ne pense plus qu'à fuir cette femme comme cela lui était arrivé souvent à l'époque où ils vivaient ensemble, avant "le crime". Il régle l'addition et s'aperçoit qu'il lui reste moins que la somme qu'il doit à la Sainte. Il ne pourra donc la rembourser que le dimanche suivant.
Après le repas, Karoline manifeste le désir d'aller au cinéma. Peu habitué aux films, il s'endort dans la salle obscure.

wie einst in jungen Zeiten .... *comme au temps de leur jeunesse*
überall, nirgends .... *partout et nulle part*
erst seit zwei Tagen .... *depuis deux jours seulement*
alle unsereins .... *tous ceux qui sont dans mon cas*
fügte er hinzu .... *ajouta-t-il*
jener plötzliche Schrecken .... *il fut saisi par le même sentiment de*
überfiel ihn .... *panique qu'autrefois*
sein Zusammenleben mit K. .... *sa vie commune avec Karoline*
jdm entfliehen .... *fuir qqn*
Kellner, zahlen ! .... *garçon, l'addition !*
das ist meine Sache .... *j'en fais mon affaire*
sie fuhr ihm dazwischen .... *elle lui coupa la parole*
ein gereifter Mann .... *un homme plein d'expérience*
der Herr hat zuerst gerufen .... *Monsieur m'a appelé le premier*
mit einigem, allerdings durch Weingenuß .... *avec une frayeur quelque peu atténuée*
gemildertem Schrecken.. *par le vin qu'il avait bu*
er sagte sich im stillengemildertem Schrecken ...... *il se dit en son for intérieur*
sich aushalten lassen .... *être entretenu par qqn*

■ Les prépositions **in, unter, an** (et quelques autres) se construisent avec l'accusatif lorsqu'il y a une idée de déplacement. Exemples : **Sie verlangte, ins Kino geführt zu werden.** = *Elle voulait qu'il l'emmène au cinéma.* Suivies du datif, elles expriment une position. Exemples : **Ich habe unter den Brücken geschlafen.** = *J'ai dormi sous les ponts.* **Er faßte sie am Nacken.** = *Il la saisit par le cou.* **Sie wohnte in der Nähe.** = *Elle habitait tout près* (Les deux derniers exemples sont pris dans le passage de la page suivante) ...

folgte ihr. Und sie gingen ins Restaurant und saßen nebeneinander auf einer Banquette aus grünem Plüsch, wie einst in jungen Zeiten, vor dem Kriminal. Sie bestellte das Essen, wie immer, und sie sah ihn an, und er wagte nicht, sie anzusehen.

» Wo bist du die ganze Zeit gewesen ? « fragte sie.

» Überall, nirgends «, sagte er. » Ich arbeite erst seit zwei Tagen wieder. Die ganze Zeit, seitdem wir uns nicht wiedergesehen haben, habe ich getrunken, und ich habe unter den Brücken geschlafen, wie alle unsereins, und du hast wahrscheinlich ein besseres Leben geführt. – Mit Männern «, fügte er nach einiger Zeit hinzu.

» Und du ? « fragte sie. » Mittendrin, wo du versoffen bist und ohne Arbeit und wo du unter den Brücken schläfst, hast du noch Zeit und Gelegenheit, eine Therese kennenzulernen. Und wenn ich nicht gekommen wäre, zufällig, wärest du wirklich zu ihr hingegangen. «

Er antwortete nicht, er schwieg, bis sie beide das Fleisch gegessen hatten und der Käse kam und das Obst. Und wie er den letzten Schluck Wein aus seinem Glase getrunken hatte, überfiel ihn aufs neue jener plötzliche Schrecken, den er vor langen Jahren, während der Zeit seines Zusammenlebens mit Karoline, so oft gefühlt hatte. Und er wollte ihr wieder einmal entfliehen, und er rief : » Kellner, zahlen ! « Sie aber fuhr ihm dazwischen : » Das ist meine Sache, Kellner ! « Der Kellner, es war ein gereifter Mann mit erfahrenen Augen, sagte : » Der Herr hat zuerst gerufen. « Andreas war es also auch, der zahlte. Bei dieser Gelegenheit hatte er das ganze Geld aus der linken inneren Rocktasche hervorgeholt, und nachdem er gezahlt hatte, sah er mit einigem, allerdings durch Weingenuß gemildertem Schrecken, daß er nicht mehr die ganze Summe besaß, die er der kleinen Heiligen schuldete. Aber es geschehen, sagte er sich im stillen, mir heutzutage so viele Wunder hintereinander, daß ich wohl sicherlich die nächste Woche noch das schuldige Geld aufbringen und zurückzahlen werde.

» Du bist also ein reicher Mann «, sagte Karoline auf der Straße. » Von dieser kleinen Therese läßt du dich wohl aushalten. «

Er erwiderte nichts, und also war sie dessen sicher, daß sie recht hatte. Sie verlangte, ins Kino geführt zu werden. Und er ging mit ihr ins Kino. Nach langer Zeit sah er wieder ein Filmstück. Aber es war schon so lange her, daß er eines gesehen hatte, daß er dieses kaum mehr verstand und an

A la demande de Karoline, ils se rendent dans un dancing où la soirée se déroule comme au temps de leur vie commune, avant son séjour en prison : Karoline danse avec tous les hommes qui l'invitent tandis qu'Andreas reste seul à boire. Finalement, il paie l'addition, force Karoline à quitter ses "cavaliers" et à l'accompagner chez elle. Andreas, se réveillant tôt le lendemain matin, médite sur tous les événements étranges qui lui sont arrivés ces jours derniers et il s'en sent tout changé. En regardant sa compagne endormie, il s'aperçoit combien elle a vieilli. Il se lève et quitte la chambre sans prendre congé de Karoline. En mettant la main dans la poche de sa veste, il se rend compte qu'il ne lui reste plus qu'un billet de cinquante francs.

Ziehharmonika spielen .... *jouer de l'accordéon*
sie war noch begehrenswert .... *elle était toujours désirable*
infolgedessen .... *par conséquent*
gewaltsam .... *brutalement*
der Nacken .... *la nuque*
jdn loslassen .... *lacher qqn*
sie wohnte in der Nähe .... *elle habitait tout près de là*
alles war wie in alten Zeiten .... *tout était comme avant*
ein Vogel zwitscherte .... *un oiseau gazouillait*
eine Zeitlang .... *pendant un moment*
es kam ihm vor, daß viel Merkwürdiges .... *il eut l'impression que bien des choses*
passiert sei *étranges étaient arrivées*
ein Vogel zwitscherte .... *un oiseau gazouillait*
er dachte nach .... *il réfléchissait*
sein Gesicht umwenden .... *tourner la tête, le visage*
zu seiner Rechten .... *à sa droite*
bei der Begegnung .... *lors de la rencontre*
blaß, aufgedunsen .... *pâle, le visage enflé*
der Wandel der Zeiten .... *l'usure du temps*
der Wandel seiner selbst .... *le changement qui s'est produit en lui*
schicksalhaft .... *ici : suivant son destin*
verstohlen .... *à la dérobée, en cachette, en secret*
das erworbene oder gefundene Geld .... *l'argent gagné ou trouvé*
ein Schein von fünfzig Francs .... *un billet de cinquante francs*
ein paar kleine Münzen .... *quelques pièces de monnaie*
auf die Bedeutung achtgeben .... *attacher de l'importance à qqch*
etwas zu tun pflegen .... *avoir coutume de faire qqch*

■ L'infinitif complément du verbe est précédé de *zu*. Exemple : **ohne K. zu wecken** = *sans réveiller K*. Lorsque le verbe comporte une particule séparable, **zu** s'insère entre celle-ci et le verbe. Exemples : **er beschloß, sofort aufzustehen und wegzugehen** = *il décida de se lever toute de suite et de partir*. Quelques verbes sont suivis de l'infinitif sans *zu*. Exemple : **Er blieb mit offenen Augen liegen**. = *Il resta étendu, les yeux grands ouverts.*

der Schulter der Karoline einschlief. Hierauf gingen sie in ein Tanzlokal, wo man Ziehharmonika spielte, und es war schon so lange her, seitdem er zuletzt getanzt hatte, daß er gar nicht mehr recht tanzen konnte, als er es mit Karoline versuchte. Also nahmen sie ihm andere Tänzer weg, sie war immer noch recht frisch und begehrenswert. Er saß allein am Tisch und trank wieder Pernod, und es war ihm wie in alten Zeiten, wo Karoline auch mit anderen getanzt und er allein am Tisch getrunken hatte. Infolgedessen holte er sie auch plötzlich und gewaltsam aus den Armen eines Tänzers weg und sagte : » Wir gehen nach Hause ! « Faßte sie am Nacken und ließ sie nicht mehr los, zahlte und ging mit ihr nach Hause. Sie wohnte in der Nähe.

Und so war alles wie in alten Zeiten, in den Zeiten vor dem Kriminal.

V

Sehr früh am Morgen erwachte er. Karoline schlief noch. Ein einzelner Vogel zwitscherte vor dem offenen Fenster. Eine Zeitlang blieb er mit offenen Augen liegen und nicht länger als ein paar Minuten. In diesen wenigen Minuten dachte er nach. Es kam ihm vor, daß ihm seit langer Zeit nicht so viel Merkwürdiges passiert sei wie in dieser einzigen Woche. Auf einmal wandte er sein Gesicht um und sah Karoline zu seiner Rechten. Was er gestern bei der Begegnung mit ihr nicht gesehen hatte, bemerkte er jetzt : sie war alt geworden : blaß, aufgedunsen und schwer atmend schlief sie den Morgenschlaf alternder Frauen. Er erkannte den Wandel der Zeiten, die an ihm selbst vorbeigegangen waren. Und er erkannte auch den Wandel seiner selbst, und er beschloß, sofort aufzustehen, ohne Karoline zu wecken, und ebenso zufällig, oder besser gesagt, schicksalshaft wegzugehen, so wie sie beide, Karoline und er, gestern zusammengekommen waren. Verstohlen zog er sich an und ging davon, in einen neuen Tag hinein, in einen seiner gewohnten neuen Tage.

Das heißt, eigentlich in einen seiner ungewohnten. Denn als er in die linke Brusttasche griff, wo er das erste seit einiger Zeit erworbene oder gefundene Geld aufzuheben gewohnt war, bemerkte er, daß ihm nur noch mehr ein Schein von fünfzig Francs verblieben war und ein paar kleine Münzen dazu. Und er, der schon seit langen Jahren nicht gewußt hatte, was Geld bedeutete, und auf dessen Bedeutung keineswegs mehr achtgegeben hatte, erschrak nunmehr, so wie einer zu erschrecken pflegt, der

Lui, qui depuis longtemps n'attachait plus d'importance à l'argent, en est bouleversé. Il lui semble que le temps de sa pauvreté est déjà loin derrière lui et qu'il a gaspillé son argent de façon coupable avec Karoline. Il s'assoit dans un café, et tout en buvant un pernod, il évoque son passé : originaire de Pologne, il est arrivé en France pour travailler dans les mines de Quebec. Logé chez des compatriotes, les Schebiec, il avait un jour tué Monsieur Schebiec pour l'empêcher de battre sa femme, Karoline, dont lui, Andreas, était amoureux. Pour cet homicide, il avait fait deux ans de prison.

in die Verlegenheit geraten .... *se trouver dans une situation gênante*
inmitten der morgengrauen Gasse .... *au milieu de la ruelle sur laquelle le jour se levait déjà*
in der Tasche verspüren .... *sentir dans sa poche*
der Betrag .... *la somme*
er gebührende Lebensstandard .... *le niveau de vie convenable*
aufrechterhalten .... *maintenir*
übermütig und leichtfertig .... *avec légèreté et insouciance*
er war böse auf Karoline .... *il en voulait à Karoline*
den Wert des Geldes schätzen .... *apprécier la valeur de l'argent*
sich über etwas (acc) klarwerden .... *prendre conscience de qqch*
unbedingt nötig .... *absolument nécessaire, indispensable*
über etwas (acc) nachdenken .... *réfléchir à qqch*
unter den nächstliegenden Gaststätten die gefälligste .... *le plus plaisant parmi les bars les plus proches*
ohne Aufenthalsgenehmigung .... *sans titre de séjour*
ausgewiesen .... *expulsé*
er stammte aus Olschowice .... *il était originaire d'Olschowice*
aus dem polnischen Schlesien .... *de la Silésie polonaise*
die halbzerfetzten Papiere .... *les papiers à moitié déchirés*
man hatte in der Zeitung kundgemacht .... *on avait annoncé dans les journeaux*
sich sein Lebtag nach etwas sehnen .... *souhaiter toute sa vie faire qqch*
in den Gruben arbeiten .... *travailler dans les mines de fond*
er war einquartiert gewesen .... *il avait trouvé un logement*
die Landsleute, das Ehepaar Sch. .... *ses compatriotes, les Sch. (le couple)*
jdn zu Tode schlagen .... *battre qqn à mort*

■ Une des particularités de la phrase allemande est que dans la proposition subordonnée, le verbe (ou la partie conjuguée du verbe aux temps composés) occupe toujours la dernière place. Exemples : **... weil er nicht mehr so viele Scheine verspürte.** = *parce qu'il ne sentait plus le même nombre de billets*, **während er seine Papiere vor sich ausbreitete ...** = *pendant qu'il étalait ses papiers sur la table* ..., **... daß er plötzlich arm sei** = ... *que soudain il était pauvre.*

gewohnt ist, immer Geld in der Tasche zu haben, und auf einmal in die Verlegenheit gerät, sehr wenig noch in ihr zu finden. Auf einmal schien es ihm, inmitten der morgengrauen, verlassenen Gasse, daß er, der seit unzähligen Monaten Geldlose, plötzlich arm geworden sei, weil er nicht mehr so viele Scheine in der Tasche verspürte, wie er sie in den letzten Tagen besessen hatte. Und es kam ihm vor, daß die Zeit seiner Geldlosigkeit sehr, sehr weit hinter ihm zurückläge und daß er eigentlich den Betrag, welcher den ihm gebührenden Lebensstandard aufrechterhalten sollte, übermütiger sowie auch leichtfertiger Weise für Karoline ausgegeben hatte.

Er war also böse auf Karoline. Und auf einmal begann er, der niemals auf Geldbesitz Wert gelegt hatte, den Wert des Geldes zu schätzen. Auf einmal fand er, daß der Besitz eines Fünfzigfrancsscheines lächerlich sei für einen Mann von solchem Wert und daß er überhaupt, um auch nur über den Wert seiner Persönlichkeit sich selber klarzuwerden, es unbedingt nötig habe, über sich selbst in Ruhe bei einem Glas Pernod nachzudenken.

Nun suchte er sich unter den nächstliegenden Gaststätten eine aus, die ihm am gefälligsten schien, setzte sich dorthin und bestellte einen Pernod. Während er ihn trank, erinnerte er sich daran, daß er eigentlich ohne Aufenthaltserlaubnis in Paris lebte, und er sah seine Papiere nach. Und hierauf fand er, daß er eigentlich ausgewiesen sei, denn er war als Kohlenarbeiter nach Frankreich gekommen, und er stammte aus Olschowice, aus dem polnischen Schlesien.

VI

Hierauf, während er seine halbzerfetzten Papiere vor sich auf dem Tisch ausbreitete, erinnerte er sich daran, daß er eines Tages, vor vielen Jahren, hierhergekommen war, weil man in der Zeitung kundgemacht hatte, daß man in Frankreich Kohlenarbeiter suche. Und er hatte sich sein Lebtag nach einem fernen Lande gesehnt. Und er hatte in den Gruben von Quebecque gearbeitet, und er war einquartiert gewesen bei seinen Landsleuten, dem Ehepaare Schebiec. Und er liebte die Frau, und da der Mann sie eines Tages zu Tode schlagen wollte, schlug er, Andreas, den Mann tot. Dann saß er zwei Jahre im Kriminal. Diese Frau war eben Karoline.

En se remémorant tout ce passé et en contemplant son permis de séjour périmé, Andreas s'en prend à sa chance qui semble l'avoir quitté à nouveau. Il s'était habitué, ces derniers jours, aux miracles qui lui avaient permis de retrouver une vie décente. Il passe la journée à boire et va retrouver, le soir, ses compagnons les ivrognes sous les ponts. Il vit ainsi jusque dans la nuit de jeudi à vendredi, où il fait un rêve étrange.

ungültig gewordne Papiere .... *des papiers (d'identité) périmés*
lediglich .... *seulement, uniquement*
eine Art von Begehrlichkeit .... *une sorte d'envie, de convoitise*
gestillt werden .... *être satisfait*
derjenige, der sie verspürt .... *celui qui la ressent*
jdm behaben .... *plaire, être agréable à qqn*
jdm grollen .... *en vouloir à qqn*
ein dicker, schnurrbärtiger, ... *un homme gros, à la moustache*
kindergesichtiger Mann *et au visage d'enfant*
sich an etwas (acc) gewöhnen .... *s'habituer à qqch*
jdm widerfahren .... *arriver à qqn*
jdm zuteil werden .... *advenir, arriver à qqn*
vorübergehend .... *passager*
das Schicksal / Geschick .... *sort, destinée*
endgültig vorbei .... *définitivement passé*
nüchtern .... *à jeun*
eine Flasche Schnaps .... *une bouteille d'alcool, d'eau de vie*
sich etwas ausleihen .... *emprunter qqch*
es träumt mir .... *je fais un rêve, je rêve*
blondgelockt .... *aux cheveux blonds et bouclés*

■ Le synonyme de **schon : bereits** = *déjà* et ceux de **nur : lediglich** = *seulement*, et de **jetzt : nun** = *maintenant*, sont employés dans un style plus recherché comme dans le récit présent.
Il faut s'attacher à retenir (et à employer !) les adverbes qui souvent apportent une précision à la phrase. Exemples dans ce passage : **eben** = *c'est ainsi (hélas)*, **endlich** = *enfin*, **nämlich** = *car*, **soeben** = *à l'instant*, **immerhin** = *toujours est-il*, **sogar** = *même*, **nie** = *jamais*.

Und dieses alles dachte Andreas im Betrachten seiner bereits ungültig gewordenen Papiere. Und hierauf bestellte er noch einen Pernod, denn er war ganz unglücklich.

Als er sich endlich erhob, verspürte er zwar eine Art von Hunger, aber nur jenen, von dem lediglich Trinker befallen werden können. Es ist dies nämlich eine besondere Art von Begehrlichkeit (nicht nach Nahrung), die lediglich ein paar Augenblicke dauert und sofort gestillt wird, sobald derjenige, der sie verspürt, sich ein bestimmtes Getränk vorstellt, das ihm in diesem bestimmten Moment zu behagen scheint.

Lange schon hatte Andreas vergessen, wie er mit Vatersnamen hieß. Jetzt aber, nachdem er soeben seine ungültigen Papiere noch einmal gesehen hatte, erinnerte er sich daran, daß er Kartak hieße : Andreas Kartak. Und es war ihm, als entdeckte er sich selbst erst seit langen Jahren wieder.

Immerhin grollte er einigermaßen dem Schicksal, das ihm nicht wieder, wie das letztemal, einen dicken, schnurrbärtigen, kindergesichtigen Mann in dieses Cafehaus geschickt hatte, der es ihm möglich gemacht hätte, neues Geld zu verdienen. Denn an nichts gewöhnen sich die Menschen so leicht wie an Wunder, wenn sie ihnen ein-, zwei-, dreimal widerfahren sind. Ja ! Die Natur der Menschen ist derart, daß sie sogar böse werden, wenn ihnen nicht unaufhörlich all jenes zuteil wird, was ihnen ein zufälliges und vorübergehendes Geschick versprochen zu haben scheint. So sind die Menschen – und was wollten wir anderes von Andreas erwarten ? Den Rest des Tages verbrachte er also in verschiedenen anderen Tavernen, und er gab sich bereits damit zufrieden, daß die Zeit der Wunder, die er erlebt hatte, vorbei sei, endgültig vorbei sei, und seine alte Zeit nun wieder begonnen habe. Und zu jenem langsamen Untergang entschlossen, zu dem Trinker immer bereit sind Nüchterne werden das nie erfahren ! –, begab sich Andreas wieder an die Ufer der Seine unter die Brücken.

Er schlief dort, halb bei Tag und halb bei Nacht, so wie er es gewohnt gewesen war seit einem Jahr, hier und dort eine Flasche Schnaps ausleihend bei dem und jenem seiner Schicksalsgenossen – bis zur Nacht des Donnerstags auf Freitag.

In jener Nacht nämlich träumte ihm, daß die kleine Therese in der Gestalt eines blondgelockten Mädchens zu ihm käme und ihm sagte : » Warum bist letzten Sonntag nicht bei mir gewesen ? « Und die kleine

Dans ce rêve, Sainte Thérèse lui reproche de ne pas être venu, dimanche, à la chapelle des Batignolles et lui demande de s'y rendre le dimanche suivant. Ce rêve redonne espoir à Andreas, il se remet à croire aux miracles. Effectivement, il trouve dans le portefeuille acheté quelques jours plus tôt un billet de mille francs qu'il hésite cependant à changer dans un bureau de tabac, conscient que posséder une telle somme ne semblerait compatible ni avec son aspect ni avec son état d'indigence.

jdm einen Gefallen tun .... *rendre service à qqn*
zu diesem Zweck .... *dans cette intention, pour faire cela*
seinen Rock ablegen .... *quitter son vêtement*
irgend etwas Geld .... *une quelconque somme*
das Spaltleder .... *cuir mince et de mauvaise qualité*
zwei Fächer .... *deux compartiments, poches*
neugierig .... *curieux, avec curiosité*
die Unheilsgenossen .... *compagnons d'infortune*
bei welcher Gelegenheit .... *à quelle occasion, à quel moment*
wunderbarerweise .... *miraculeusement*
Welterfahrung besitzen .... *avoir de l'expérience, du savoir faire*
ein bedeutender Gegensatz .... *une différence considérable*
das Aussehen .... *présentation, aspect*

■ Pour marquer l'opposition de deux idées, on trouve souvent **zwar** = *certes, il est vrai,* dans la première proposition, suivi toujours par **aber** ou **(je)doch** = *mais, cependant,* dans la proposition suivante. Exemples : **Er fand dort zwar keinen Geldschein, wohl aber die Brieftasche.** = Certes, il n'y trouva pas de billet, mais le portefeuille. **Nun hatte er zwar Kleingeld genug, aber er wußte nicht, wie er den Schein wechseln könnte.** = *Il avait certes assez de monnaie, mais il ne savait pas comment changer le billet.*
■ Dans un autre contexte, **zwar** signifie *"à savoir".*

Heilige sah genauso aus, wie er sich vor vielen Jahren seine eigene Tochter vorgestellt hatte. Und er hatte gar keine Tochter ! Und im Traum sagte er zu der kleinen Therese : » Wie sprichst du zu mir ? Hast du vergessen, daß ich dein Vater bin ? « Die Kleine antwortete : » Verzeih, Vater, aber tu mir den Gefallen und komm übermorgen, Sonntag, zu mir in die Ste Marie des Batignolles. «

Nach dieser Nacht, in der er diesen Traum geträumt hatte, erhob er sich erfrischt und wie vor einer Woche, als ihm noch die Wunder geschehen waren, so als nähme er den Traum für ein wahres Wunder. Noch einmal wollte er sich am Flusse waschen. Aber bevor er seinen Rock zu diesem Zweck ablegte, griff er in die linke Brusttasche, in der vagen Hoffnung, es könnte sich dort noch irgend etwas Geld befinden, von dem er vielleicht gar nichts gewußt hätte. Er griff in die linke innere Brusttasche seines Rockes, und seine Hand fand dort zwar keinen Geldschein, wohl aber jene lederne Brieftasche, die er vor ein paar Tagen gekauft hatte. Diese zog er hervor. Es war eine äußerst billige, bereits verbrauchte, umgetauschte, wie nicht anders zu erwarten. Spaltleder. Rindsleder. Er betrachtete sie, weil er sich nicht mehr erinnerte, daß, wo und wann er sie gekauft hatte. Wie kommt das zu mir ? fragte er sich. Schließlich öffnete er das Ding und sah, daß es zwei Fächer hatte. Neugierig sah er in beide hinein, und in einem von ihnen war ein Geldschein. Und er zog ihn hervor, es war ein Tausendfrancsschein.

Hierauf steckte er die tausend Francs in die Hosentasche und ging an das Ufer der Seine, und ohne sich um seine Unheilsgenossen zu kümmern, wusch er sich Gesicht und den Hals sogar, und dies beinahe fröhlich. Hierauf zog er sich den Rock wieder an und ging in den Tag hinein, und er begann den Tag damit, daß er in ein Tabac eintrat, um Zigaretten zu kaufen.

Nun hatte er zwar Kleingeld genug, um die Zigaretten bezahlen zu können, aber er wußte nicht, bei welcher Gelegenheit er den Tausendfrancsschein, den er so wunderbarerweise in der Brieftasche gefunden hatte, wechseln könnte. Denn so viel Welterfahrung besaß er schon, daß er ahnte, es bestünde in den Augen der Welt, das heißt, in den Augen der maßgebenden Welt, ein bedeutender Gegensatz zwischen seiner Kleidung, seinem Aussehen und einem Schein von tausend Francs. Immerhin beschloß er, mutig, wie er durch das erneuerte Wunder geworden war, die Banknote zu zeigen. Allerdings, den Rest der Klugheit noch gebrauchend, der

A son grand étonnement, le patron du tabac semble ravi de changer le billet : encore un miracle !
En prenant une consommation au comptoir, Andreas voit la photo d'un ancien camarade d'école qui, renseignement pris, est maintant un célèbre joueur de football. Andreas quitte le café, fait un bon repas et décide d'aller au cinéma. Une affiche retient son attention : dans le désert, sous un soleil impitoyable, un homme à la recherche de l'aventure ...

im Gegenteil .... *au contraire*
an der Theke .... *au comptoir*
eine eingerahmte Zeichnung .... *un dessin dans un cadre*
in ein Gelächter ausbrechen .... *éclater de rire*
sämtliche Gäste .... *tous les clients*
in der Tat .... *en effet*
schlesischer Abkunft .... *d'origine silésienne*
er schämte sich .... *il avait honte*
insbesondere .... *plus particulièrement*
die Zeichnung ist mißraten .... *le dessin est raté, peu réussi*
er verspürte Hunger .... *il avait faim*
im Bewußtsein dessen .... *conscient de ce que*
ein wohlhabender Mann .... *un homme aisé, riche*
jdm entgegenkommen .... *venir à la rencontre, croiser qqn*
das Plakat .... *l'affiche*
ankündigen .... *annoncer*
das Abenteuer .... *aventure*
wie das Plakat vorgab .... *comme le prétendait l'affiche*
er schlich durch die Wüste .... *il traversa le désert*
erbarmungslos .... *impitoyable*

■ La langue allemande connaît un grand nombre de noms composés. Pour la traduction en français, il faut commencer par le dernier mot qui compose le nom. Exemple : **das Kleingeld** = *la petite monnaie*. Ces noms sont composés d'un ou de plusieurs adjectifs ou de substantifs ou encore d'un préposition suivie d'un substantif. Exemples : **der Tausendfrancsschein** = *le billet de mille francs*, **der Weißwein** = *le vin blanc*, **der Schulkamerad** = *le camarade d'école*, **der Fußballspieler** = *le joueur de football*, **der Nachmittag** = *l'après-midi*. Quelques mots composés ne peuvent pas être traduits littéralement. Exemples : **der Augenblick** = *l'instant, le moment*, **wohlhabend** = *aisé, riche*.

ihm verblieben war, um dem Herrn an der Kasse des Tabacs zu sagen : » Bitte, wenn Sie tausend Francs nicht wechseln können, gebe ich Ihnen auch Kleingeld. Ich möchte sie aber gerne gewechselt haben. «

Zum Erstaunen Andreas' sagte der Herr vom Tabac : » Im Gegenteil ! Ich brauche einen Tausendfrancsschein, Sie kommen mir sehr gelegen. « Und der Besitzer wechselte den Tausendfrancsschein. Hierauf blieb Andreas ein wenig an der Theke stehen und trank drei Gläser Weißwein ; gewissermaßen aus Dankbarkeit gegenüber dem Schicksal.

VII

Indes er so an der Theke stand, fiel ihm eine eingerahmte Zeichnung auf, die hinter dem breiten Rücken des Wirtes an der Wand hing, und diese Zeichnung erinnerte ihn an einen alten Schulkameraden aus Olschowice. Er fragte den Wirt : » Wer ist das ? Den kenne ich, glaube ich. « Darauf brachen sowohl der Wirt als auch sämtliche Gäste, die an der Theke standen, in ein ungeheures Gelächter aus. Und sie riefen alle : » Wie, er kennt ihn nicht ! «

Denn es war in der Tat der große Fußballspieler Kanjak, schlesischer Abkunft, allen normalen Menschen wohlbekannt. Aber woher sollten ihn Alkoholiker, die unter den Seine-Brücken schliefen, kennen, und wie, zum Beispiel, unser Andreas ? Da er sich aber schämte, und insbesondere deshalb, weil er soeben einen Tausendfrancsschein gewechselt hatte, sagte Andreas : » Oh, natürlich kenne ich ihn, und es ist sogar mein Freund. Aber die Zeichnung schien mir mißraten. « Hierauf, und damit man ihn nicht weiter frage, zahlte er schnell und ging.

Jetzt verspürte er Hunger. Er suchte also das nächste Gasthaus auf und aß und trank einen roten Wein und nach dem Käse einen Kaffee und beschloß, den Nachmittag in einem Kino zu verbringen. Er wußte nur noch nicht, in welchem. Er begab sich also im Bewußtsein dessen, daß er im Augenblick so viel Geld besäße, wie jeder der wohlhabenden Männer, die ihm auf der Straße entgegenkommen mochten, auf die großen Boulevards. Zwischen der Oper und dem Boulevard des Capucines suchte er nach einem Film, der ihm wohl gefallen möchte, und schließlich fand er einen. Das Plakat, das diesen Film ankündigte, stellte nämlich einen Mann dar, der in einem fernen Abenteuer offenbar unterzugehen gedachte. Er schlich, wie das Plakat vorgab, durch eine erbarmungslose, sonnver

Andreas est peu satisfait du film dont la fin est trop optimiste à son goût. Au moment de quitter la salle, il voit apparaître sur l'écran la photo de Kanjak, le célèbre joueur de football. Après avoir obtenu l'adresse de celui-ci auprès du portier du cinéma, il se rend à l'hôtel où loge son ancien camarade de classe. Dans le hall de cet hôtel cossu, lui, le clochard, se sent quelque peu déplacé.

er war im Begriff(e) .... *il était en train*
sich selbst verwandt .... *lui ressemblant*
eine Wendung nehmen .... *prendre un tournant*
eine vorbeiziehende Karawane .... *une caravane qui passe*
wissenschaftlich .... *scientifique*
in den Schoß .... *(dans le) au sein de*
vor einer Weile .... *il y a un instant*
sich nach etwas (dat) erkundigen .... *se renseigner au sujet de qqch*
es fiel ihm ein .... *il eut l'idée, il lui vint à l'esprit*
in Anbetracht der Summe .... *vu, étant donné la somme*
der Türsteher .... *portier*
sich auf den Weg begeben .... *se mettre en route*
ein vornehmes Hotel .... *un hôtel élégant*
er kam sich fremd vor .... *il se sentit étranger, déplacé*

■ Quelques noms masculins ont une déclinaison particulière (décl. faible) : on ajoute la terminaison *-en* à tous les cas sauf au nominatif singulier. Exemple : **der Held** = *le héros* : **Schon war er im Begriff, den Helden sympatisch zu finden.** = *Il était en train de trouver que le héros était sympatique.* Beaucoup de ces noms sont d'origine étrangère. Exemples : **der Schulkamerad, der Schulkollege** = *le camarade de classe, d'école.*

brannte Wüste. In dieses Kino trat nun Andreas ein. Er sah den Film vom Mann, der durch die sonnverbrannte Wüste geht. Und schon war Andreas im Begriffe, den Helden des Films sympathisch und ihn sich selbst verwandt zu fühlen, als plötzlich das Kinostück eine unerwartet glückliche Wendung nahm und der Mann in der Wüste von einer vorbeiziehenden, wissenschaftlichen Karawane gerettet und in den Schoß der europäischen Zivilisation zurückgeführt wurde. Hierauf verlor Andreas jede Sympathie für den Helden des Films. Und schon war er im Begriff, sich zu erheben, als auf der Leinwand das Bild jenes Schulkameraden erschien, dessen Zeichnung er vor einer Weile, an der Theke stehend, hinter dem Rücken des Wirtes der Taverne gesehen hatte. Es war der große Fußballspieler Kanjak. Hierauf erinnerte sich Andreas, daß er einmal, vor zwanzig Jahren, mit Kanjak zusammen in der gleichen Schulbank gesessen hatte, und er beschloß, sich morgen sofort zu erkundigen, ob sein alter Schulkollege sich in Paris aufhielte.

Denn er hatte, unser Andreas, nicht weniger als neunhundertachtzig Francs in der Tasche.

Und dies ist nicht wenig.

VIII

Bevor er aber das Kino verließ, fiel es ihm ein, daß er es gar nicht nötig hätte, bis morgen früh auf die Adresse seines Freundes und Schulkameraden zu warten ; insbesondere in Anbetracht der ziemlich hohen Summe, die er in der Tasche liegen hatte.

Er war jetzt, in Anbetracht des Geldes, das ihm verblieb, so mutig geworden, daß er beschloß, sich an der Kasse nach der Adresse seines Freundes zu erkundigen, des berühmten Fußballspielers Kanjak. Er hatte gedacht, man müßte zu diesem Zweck den Direktor des Kinos persönlich fragen. Aber nein ! Wer war in ganz Paris so bekannt wie der Fußballspieler Kanjak ? Der Türsteher schon kannte seine Adresse. Er wohnte in einem Hotel in den Champs-Elysees. Der Türsteher sagte ihm auch den Namen des Hotels ; und sofort begab sich unser Andreas auf den Weg dorthin.

Es war ein vornehmes, kleines und stilles Hotel, gerade eines jener Hotels, in denen Fußballspieler und Boxer, die Elite unserer Zeit, zu wohnen pflegen. Andreas kam sich in der Vorhalle etwas fremd vor, und auch den

Andreas attend dans le hall l'arrivée de Kanjak qui le reconnaît tout de suite. Enchanté de revoir son camarade d'école, celui-ci l'invite à déjeuner et lui demande pourquoi il est si mal habillé. Lorsqu'il apprend la situation de son ami, il loue, près de l'église de la Madeleine, une chambre pour Andreas, lui promettant d'y faire déposer quelques vêtements neufs. Les deux hommes prennent l'ascenseur et – par miracle – personne ne semble s'étonner de ce qu'Andreas n'ait pas de bagages.

die Angestellten des Hotels .... *les employés de l'hôtel*
jeden Moment .... *d'un instant à l'autre*
im Stehen noch .... *encore debout*
Erinnerungen austauschen .... *échanger des souvenirs*
es herrschte Fröhlichkeit .... *il y avait une ambiance de gaieté*
verkommen .... *négligé, mal vêtu*
die Lumpen .... *les haillons*
der Leib .... *corps*
ein glückliches Zusammentreffen .... *une rencontre heureuse*
von etwas Heiterem reden .... *parler de qqch de plus gai, amusant*
der Anzug .... *costume*
jdn abschreiben lassen .... *permettre à qqn de copier*
in der Nähe von .... *à proximité de*
großartig .... *magnifique, superbe*
im fünften Stock gelegen .... *situé au cinquième étage*
den Lift benützen .... *prendre l'ascenseur*
das Gepäck .... *les bagages*
nichts Verwunderliches .... *rien d'étonnant, de merveilleux*

■ Les différentes formes de l'impératif : La deuxième personne du singulier n'a pas de terminaison (verbes forts). Exemple : **Komm !** = *Viens !* La première personne du pluriel a deux formes, l'une avec **wir**, l'autre avec le verbe **lassen**. Exemples : **Reden wir von was Heiterem !** = *Parlons de quelque chose de plus gai !* **Laß uns darüber kein Wort verlieren !** = *N'en parlons pas !*

Angestellten des Hotels kam er etwas fremd vor. Immerhin sagten sie, der berühmte Fußballspieler Kanjak sei zu Hause und bereit, jeden Moment in die Vorhalle zu kommen.

Nach ein paar Minuten kam er auch herunter, und sie erkannten sich beide sofort. Und sie tauschten im Stehen noch alte Schulerinnerungen aus, und hierauf gingen sie zusammen essen, und es herrschte große Fröhlichkeit zwischen beiden. Sie gingen zusammen essen, und es ergab sich also infolgedessen, daß der berühmte Fußballspieler seinen verkommenen Freund folgendes fragte : » Warum schaust du so verkommen aus, was trägst du überhaupt für Lumpen an deinem Leib ? «

» Es wäre schrecklich «, antwortete Andreas, » wenn ich erzählen wollte, wie das alles gekommen ist. Und es würde auch die Freude an unserem glücklichen Zusammentreffen bedeutsam stören. Laß uns darüber lieber kein Wort verlieren. Reden wir von was Heiterem. «

» Ich habe viele Anzüge «, sagte der berühmte Fußballspieler Kanjak. » Und es wird mir eine Freude sein, dir den einen oder den anderen davon abzugeben. Du hast neben mir in der Schulbank gesessen, und du hast mich abschreiben lassen. Was bedeutet schon ein Anzug für mich ! Wo soll ich ihn dir hinschicken ? «

» Das kannst du nicht «, erwiderte Andreas, » und zwar einfach deshalb, weil ich keine Adresse habe. Ich wohne nämlich seit einiger Zeit unter den Brükken an der Seine. «

» So werde ich dir also «, sagte der Fußballspieler Kanjak, » ein Zimmer mieten, einfach zu dem Zweck, dir einen Anzug schenken zu können. Komm ! «

Nachdem sie gegessen hatten, gingen sie hin, und der Fußballspieler Kanjak mietete ein Zimmer, und dieses kostete fünfundzwanzig Francs pro Tag und war gelegen in der Nähe der großartigen Kirche von Paris, die unter dem Namen » Madeleine « bekannt ist.

IX

Das Zimmer war im fünften Stock gelegen, und Andreas und der Fußballspieler mußten den Lift benützen. Andreas besaß selbstverständlich kein Gepäck. Aber weder der Portier noch der Liftboy noch sonst irgendeiner von dem Personal des Hotels verwunderte sich darüber. Denn es war einfach ein Wunder, und innerhalb des Wunders gibt es nichts Ver

Les deux amis prennent possession de la chambre ; ils y passent l'après-midi en évoquant des souvenirs et en partageant une bouteille de cognac. Au moment de partir, Kanjak promet de revenir dans deux ou trois jours et demande à son ami s'il a besoin d'argent. Mais Andreas possède neuf cent quatre vingts francs, sa chambre porte le numéro quatre vingt neuf – un miracle de plus ! Resté seul, Andreas contemple sa chambre ... merveilleuse.

die Seife	*savon, savonnette*
unsereins	*les gens comme moi*
uns zur Ehre	*en notre honneur*
bis zur Neige	*jusqu'au bout*
ein bequemer Lehnstuhl	*un fauteuil confortable*
mit rosa Rips überzogen	*recouvert de velours rose*
rotseidene Tapete	*tapisserie de soie rouge*
unterbrochen von zartgoldenen Papageienköpfen	*où se mélaient des têtes de perroquet de couleur or pâle*
drei elfenbeinerne Knöpfe	*trois boutons d'ivoire*
an der Türleiste	*sur la baguette de la porte*
der dunkelgrüne Schirm	*l'abat-jour couleur vert foncé*
ein weißer Knauf	*une poignée (de porte) blanche*
etwas Geheimnisvolles	*quelque chose de mystérieux*
verbergen, verbarg, verborgen	*cacher, dissimuler*
das Hörrohr	*l'écouteur*
auf etwas (acc) bedacht sein	*avoir l'intention de faire qqch*
sich mit etwas vertraut machen	*se familiariser avec qqch*

■ Après **etwas** = *quelque chose de*, **nichts** = *rien de*, **viel** = *beaucoup de*, on utilise en allemand un adjectif substantivé neutre. Les terminaisons sont **-es** au nominatif et à l'accusatif, **-em** au datif. Exemples : **Es gibt nichts Verwunderliches.** = *Il n'y a rien d'étonnant.* **... eine Tür, hinter der sich etwas Geheimnisvolles zu verbergen schien.** = *... une porte, derrière laquelle semblait se dissimuler quelque chose de mystérieux.*

wunderliches. Als sie beide im Zimmer oben standen, sagte der Fußballspieler Kanjak zu seinem Schulbankgenossen Andreas : » Du brauchst wahrscheinlich eine Seife. «

» Unsereins «, erwiderte Andreas, » kann auch ohne Seife leben. Ich gedenke hier acht Tage ohne Seife zu wohnen, und ich werde mich trotzdem waschen. Ich möchte aber, daß wir uns zur Ehre dieses Zimmers sofort etwas zum Trinken bestellen. «

Und der Fußballspieler bestellte eine Flasche Cognac. Diese tranken sie bis zur Neige. Hierauf verließen sie das Zimmer und nahmen ein Taxi und fuhren auf den Montmartre, und zwar in jenes Cafe, wo die Mädchen saßen und wo Andreas erst ein paar Tage vorher gewesen war. Nachdem sie dort zwei Stunden gesessen und Erinnerungen aus der Schulzeit ausgetauscht hatten, führte der Fußballspieler Andreas nach Hause, das heißt, in das Hotelzimmer, das er ihm gemietet hatte, und sagte zu ihm : » Jetzt ist es spät. Ich lasse dich allein. Ich schicke dir morgen zwei Anzüge. Und – brauchst du Geld ? «

» Nein «, sagte Andreas, » ich habe neunhundertachtzig Francs, und das ist nicht wenig. Geh nach Hause ! «

» Ich komme in zwei oder drei Tagen «, sagte der Freund, der Fußballspieler.

X

Das Hotelzimmer, in dem Andreas nunmehr wohnte, hatte die Nummer neunundachtzig. Sobald Andreas sich allein in diesem Zimmer befand, setzte er sich in den bequemen Lehnstuhl, der mit rosa Rips überzogen war, und begann, sich umzusehn. Er sah zuerst die rotseidene Tapete, unterbrochen von zartgoldenen Papageienköpfen, an den Wänden drei elfenbeinerne Knöpfe, rechts an der Türleiste und in der Nähe des Bettes den Nachttisch und die Lampe darüber mit dunkelgrünem Schirm und ferner eine Tür mit einem weißen Knauf, hinter der sich etwas Geheimnisvolles, jedenfalls für Andreas Geheimnisvolles, zu verbergen schien. Ferner gab es in der Nähe des Bettes ein schwarzes Telephon, dermaßen angebracht, daß auch ein im Bett Liegender das Hörrohr ganz leicht mit der rechten Hand erfassen kann. Andreas, nachdem er lange das Zimmer betrachtet hatte und darauf bedacht gewesen war, sich auch mit ihm vertraut zu machen, wurde plötzlich neugierig. Denn die Tür mit dem wei

En ouvrant une porte qui lui paraît recéler quelque mystère, Andreas découvre une salle de bain rutilante. Il fait une longue toilette puis sort de sa chambre. Dans le couloir, il rencontre une belle jeune femme, échange quelques mots aimables avec elle et prend soin de noter dans sa mémoire le numéro de la chambre – le numéro 87 – qu'habite la belle inconnue.

wie groß war sein Erstaunen .... *quel ne fut pas son étonnement*
mit glänzenden Kacheln .... *recouvert d'un carrelage brillant*
die Badewanne .... *baignoire*
schimmernd .... *rutilant, brillant*
kurz und gut .... *(en) bref*
in seinen Kreisen .... *dans le monde qu'il fréquentait*
die Bedürfnisanstalt .... *toilettes*
aus den beiden Hähnen .... *faire couler de l'eau des*
rinnen lassen .... *deux robinets*
bedauern .... *regretter*
von vornherein .... *d'avance*
mit Wollust .... *avec volupté*
er wußte nicht, was er mit sich anfangen sollte .... *il ne savait plus que faire*
aus Ratlosigkeit .... *par perplexité*
aus Neugier .... *par curiosité*
etwas erstehen .... *acheter, se procurer qqch*
er verneigte sich leicht .... *il s'inclina légèrement devant elle*
mit einem Kopfnicken .... *en faisant un signe de la tête*
er faßte sich ein Herz .... *il prit son courage à deux mains*
liebebedürftig .... *avide d'affection*
er merkte es sich .... *il le retint, le grava dans sa mémoire*

■ Les adverbes **gerade** et **eben** = *juste(ment), à l'instant,* utilisés avec un temps non composé, traduisent la tournure française "être en train de faire qqch". Exemples : **... eine junge Frau, die aus ihrem Zimmer gerade herauskam, wie er eben selbst.** = ... *une jeune femme en train de sortir de sa chambre, comme lui était en train de sortir de la sienne.*
■ Ces mêmes adverbes, utilisés avec un temps composé, traduisent la locution "venir de faire qqch". Exemple : **Er hatte sich eben gewaschen.** = *Il venait de se laver.*

ßen Knauf irritierte ihn, und trotz seiner Angst und obwohl er der Hotelzimmer ungewohnt war, erhob er sich und beschloß nachzusehen, wohin die Tür führe. Er hatte gedacht, sie sei selbstverständlich verschlossen. Aber wie groß war sein Erstaunen, als sie sich freiwillig, beinahe zuvorkommend, öffnete !

Er sah nunmehr, daß es ein Badezimmer war, mit glänzenden Kacheln und mit einer Badewanne, schimmernd und weiß, und mit einer Toilette, und kurz und gut, das, was man in seinen Kreisen eine Bedürfnisanstalt hätte nennen können.

In diesem Augenblick auch verspürte er das Bedürfnis, sich zu waschen, und er ließ heißes und kaltes Wasser aus den beiden Hähnen in die Wanne rinnen. Und wie er sich auszog, um in sie hineinzusteigen, bedauerte er auch, daß er keine Hemden habe, denn wie er sich das Hemd auszog, sah er, daß es sehr schmutzig war, und von vornherein schon hatte er Angst vor dem Augenblick, in dem er wieder aus dem Bad gestiegen und dieses Hemd anziehen müßte.

Er stieg in das Bad, erwußte, daß es eine lange Zeit her war, seitdem er sich gewaschen hatte. Er badete geradezu mit Wollust, erhob sich, zog sich wieder an und wußte nun nicht mehr, was er mit sich anfangen sollte. Mehr aus Ratlosigkeit als aus Neugier öffnete er die Tür des Zimmers, trat in den Korridor und erblickte hier eine junge Frau, die aus ihrem Zimmer gerade herauskam, wie er eben selbst. Sie war schön und jung, wie ihm schien. Ja, sie erinnerte ihn an die Verkäuferin in dem Laden, wo er die Brieftasche erstanden hatte, und ein bißchen auch an Karoline, und infolgedessen verneigte er sich leicht vor ihr und grüßte sie, und da sie ihm antwortete, mit einem Kopfnicken, faßte er sich ein Herz und sagte ihr geradewegs : » Sie sind schön. «

» Auch Sie gefallen mir «, antwortete sie, » einen Augenblick ! Vielleicht sehen wir uns morgen. « – Und sie ging dahin im Dunkel des Korridors. Er aber, liebebedürftig, wie er plötzlich geworden war, sah nach der Nummer ihrer Tür, hinter der sie wohnte.

Und es war die Nummer siebenundachtzig. Diese merkte er sich in seinem Herzen.

Andreas est bien décidé à provoquer un nouvel miracle ou à forcer le destin : il n'attendra pas le lendemain pour revoir la jeune femme. Il guette son pas, entrouvre la porte, mais il ne s'aperçoit pas qu'elle a deviné son intérêt. Forte d'une longue habitude professionnelle, elle arrange rapidement sa chambre pour recevoir la visite d'Andreas. Lorsque celui-ci entre, elle lui dit qu'elle est de passage à Paris et qu'un travail l'attend dès lundi, à Cannes.

lauschen .... *guetter, prêter l'oreille*
die fast ununterbrochene Reihe .... *la série presque ininterrompue*
die Gnade .... *la grâce*
zu einer Art Übermut berechtigt .... *autorisé à faire preuve d'audace*
gewissermaßen aus Höflichkeit .... *en quelque sorte par politesse, égards*
jdm zuvorkommen .... *devancer qqn*
ohne sie im geringsten zu kränken .... *sans l'offenser le moins du monde*
einen Spaltbreit öffnen .... *entrouvrir*
die Unerfahrenheit .... *inexpérience*
der nicht geringzuschätzende Umstand .... *la circonstance, le fait à ne pas sous-estimer*
das Mädchen hatte sein Spähen bemerkt .... *la fille avait remarqué qu'il la guettait*
hastig und hurtig .... *en toute hâte et avec rapidité*
eine scheinbare Ordnung .... *un semblant d'ordre*
die Deckenlampe auslöschen .... *éteindre le plafonnier*
beim Schein der Nachttischlampe .... *à la lueur de la lampe de chevet*
es klopfte zage an die Tür .... *on frappa timidement à la porte*
er blieb an der Schwelle stehen .... *il s'immobilisa sur le seuil de la ch.*
der hatte bereits die Gewißheit .... *il avait déjà la certitude*
Gnädige (gnädige Frau) .... *Madame*
vorübergehend .... *de passage, passager*
auftreten .... *se produire, donner un spectacle*

■ Il faut distinguer très soigneusement entre *"le matin"* = **der Morgen**, sujet d'une proposition, *"le matin"* = **am Morgen**, et *"demain"* = **morgen** compléments de temps. Exemples : **Entschlossen, nicht erst den Morgen abzuwarten.** = *Décidé de ne pas attendre le matin.* **Ich kann nicht bis morgen warten.** = *Je ne peux pas attendre (jusqu'à) demain.* **Andreas blieb bis zum Morgen.** = *Andreas resta jusqu'au matin.* **Am Samstagmorgen** = *le samedi matin* (exemple pris dans le passage suivant).

XI

Er kehrte wieder in sein Zimmer zurück, wartete, lauschte und war schon entschlossen, nicht erst den Morgen abzuwarten, um mit dem schönen Mädchen zusammenzukommen. Denn, obwohl er durch die fast ununterbrochene Reihe der Wunder in den letzten Tagen bereits überzeugt war, daß sich die Gnade auf ihn niedergelassen hatte, glaubte er doch gerade deswegen, zu einer Art Übermut berechtigt zu sein, und er nahm an, daß er gewissermaßen aus Höflichkeit der Gnade noch zuvorkommen müßte, ohne sie im geringsten zu kränken. Wie er nun also die leisen Schritte des Mädchens von Nummer siebenundachtzig zu vernehmen glaubte, öffnete er vorsichtig die Tür seines Zimmers einen Spaltbreit und sah, daß sie es wirklich war, die in ihr Zimmer zurückkehrte. Was er aber freilich infolge seiner langjährigen Unerfahrenheit nicht bemerkte, war der nicht geringzuschätzende Umstand, daß auch das schöne Mädchen sein Spähen bemerkt hatte. Infolgedessen machte sie, wie sie es Beruf und Gewohnheit gelehrt hatten, hastig und hurtig eine scheinbare Ordnung in ihrem Zimmer und löschte die Deckenlampe aus und legte sich aufs Bett und nahm beim Schein der Nachttischlampe ein Buch in die Hand und las darin ; aber es war ein Buch, das sie bereits längst gelesen hatte.

Eine Weile später klopfte es auch zage an ihrer Tür, wie sie es auch erwartet hatte, und Andreas trat ein. Er blieb an der Schwelle stehen, obwohl er bereits die Gewißheit hatte, daß er im nächsten Augenblick die Einladung bekommen würde näher zu treten. Denn das hübsche Mädchen rührte sich nicht aus ihrer Stellung, sie legte nicht einmal das Buch aus der Hand, sie fragte nur : » Und was wünschen Sie ? «

Andreas, sicher geworden durch Bad, Seife, Lehnstuhl, Tapete, Papageienköpfe und Anzug, erwiderte : » Ich kann nicht bis morgen warten, Gnädige. « Das Mädchen schwieg.

Andreas trat näher an sie heran, fragte sie, was sie lese, und sagte aufrichtig : » Ich interessiere mich nicht für Bücher. «

» Ich bin nur vorübergehend hier «, sagte das Mädchen auf dem Bett, » ich bleibe nur bis Sonntag hier. Am Montag muß ich nämlich in Cannes wieder auftreten. «

» Als was ? « fragte Andreas.

Gabby, la jeune femme, est danseuse au Casino de Cannes. Peu farouche, elle permet à Andreas de rester toute la nuit avec elle. Le lendemain, Andreas qui souhaite passer la journée avec elle, lui propose d'aller à Fontainebleau, dont il a entendu parler. Ils prennent un taxi, déjeunent dans un bon restaurant, où Gabby est connue au point de s'adresser au garçon par son prénom. Vers le soir, ils regagnent Paris. La soirée est superbe, mais comment en profiter lorsqu'on n'a rien en commun ?

lügen, log, gelogen .... *mentir*
der Rand des Bettes .... *le rebord du lit*
mit dem festen Entschluß .... *fermement décidé*
in ihm blühte der zarte Gedanke .... *il eut l'idée pleine de délicatesse*
er war geneigt .... *il avait tendance à*
um das Zehnfache vergrößert .... *multiplié par dix*
vor ihrer Abreise .... *avant son départ*
aufs Geratewohl .... *à tout hasard, à l'improviste*
ein Taxi mieten .... *prendre (louer) un taxi*
es erwies sich .... *il s'avéra*
beim Vornamen .... *par son prénom*
eifersüchtig von Natur .... *d'un naturel jaloux*
böse werden .... *se fâcher*
auf einmal .... *soudain, d'un seul coup*
sie wußten nichts anzufangen .... *ils ne savaient que faire*

■ Quelques verbes ont une conjugaison particulière, ils changent la voyelle "e" du présent en "a" au prétérit et au participe passé ; c'est le cas de **kennen** = *connaître* et de **nennen** = *nommer, appeler*. Exemples : **Der Kellner kannte sie und sie nannte ihn beim Vornamen**. = *Le garçon la connaissait et elle l'appelait par son prénom*. Le verbe **verbringen** = passer fait au prétérit **verbrachte** et **verbracht** au participe passé. Exemple : **Sie verbrachten eine Zeitlang beim Essen**. = *Ils passèrent un certain temps à table*.

» Ich tanze im Kasino. Ich heiße Gabby. Haben Sie den Namen noch nie gehört ? «

» Gewiß, ich kenne ihn aus den Zeitungen «, log Andreas – und er wollte hinzufügen : mit denen ich mich zudecke. Aber er vermied es.

Er setzte sich an den Rand des Bettes, und das schöne Mädchen hatte nichts dagegen. Sie legte sogar das Buch aus der Hand, und Andreas blieb bis zum Morgen in Zimmer siebenundachtzig.

XII

Am Samstagmorgen erwachte er mit dem festen Entschluß, sich von dem schönen Mädchen bis zu ihrer Abreise nicht mehr zu trennen. Ja, in ihm blühte sogar der zarte Gedanke an eine Reise mit der jungen Frau nach Cannes, denn er war, wie alle armen Menschen, geneigt, kleine Summen, die er in der Tasche hatte (und insbesondere die trinkenden armen Menschen neigen dazu), für große zu halten. Er zählte also am Morgen seine neunhundertachtzig Francs noch einmal nach. Und da sie in der Brieftasche lagen und da diese Brieftasche in einem neuen Anzug steckte, hielt er die Summe um das Zehnfache vergrößert. Infolgedessen war er auch keineswegs erregt, als eine Stunde später, nachdem er es verlassen hatte, das schöne Mädchen bei ihm eintrat, ohne anzuklopfen, und da sie ihn fragte, wie sie beide den Samstag zu verbringen hätten, vor ihrer Abreise nach Cannes, sagte er aufs Geratewohl : » Fontainebleau. « Irgendwo, halb im Traum, hatte er es vielleicht gehört. Er wußte jedenfalls nicht mehr, warum und wieso ihm dieser Ortsname auf die Zunge gekommen war.

Sie mieteten also ein Taxi, und sie fuhren nach Fontainebleau, und dort erwies es sich, daß das schöne Mädchen ein gutes Restaurant kannte, in dem man gute Speisen speisen und guten Trank trinken konnte. Und auch der Kellner kannte sie, und sie nannte ihn beim Vornamen. Und wenn unser Andreas eifersüchtig von Natur gewesen wäre, so hätte er wohl auch böse werden können. Aber er war nicht eifersüchtig, und also wurde er auch nicht böse. Sie verbrachten eine Zeitlang beim Essen und Trinken und fuhren hierauf, noch einmal im Taxis, zurück nach Paris, und auf einmal lag der strahlende Abend von Paris vor ihnen, und sie wußten nichts mit ihm anzufangen, eben wie Menschen nicht wissen, die nicht

Au cours de la soirée passée dans un quelconque cinéma, Gabby et Andreas s'aperçoivent qu'ils ne savent que faire ensemble, leur rencontre, due au hasard, ne leur apporte aucune satisfaction. Le lendemain, dans la chambre d'hôtel, Andreas dit qu'il doit de l'argent à une femme, Thérèse. Gabby, prise de jalousie, le gifle, lui faisant quitter l'hôtel précipitamment. Il s'en va vers l'église des Batignolles, sûr de pouvoir enfin rembourser sa dette.

eine allzu lichte Wüste .... *un désert trop lumineux*
leichtfertigerweise .... *avec légèreté, imprudence*
vergeuden .... *gaspiller*
es bleibt jdm vorbehalten .... *c'est le privilège de qqn*
die Finsternis, das Dunkel .... *obscurité*
knapp .... *à peine*
der Händedruck war gleichgültig .... *ils se tenaient par la main avec indifférence*
er litt darunter (leiden) .... *il en souffrit*
in einer ziemlichen Beklommenheit .... *avec une certaine appréhension*
in dem Bewußtsein seiner Pflicht .... *conscient de son devoir*
eine Schuld bezahlen .... *rembourser une dette*
jdm etwas schuldig sein .... *devoir qqch à qqn*
sie ballte die Fäuste .... *elle serra les poings*
er floh aus dem Zimmmer .... *il s'enfuit de la chambre*
ohne sich umzusehen .... *sans jeter un regard derrière lui*
in dem sicheren Bewußtsein .... *sûr de son fait*

■ **einander** signifie : *l'un l'autre, ensemble* ; il se traduit souvent par *"se"*. Exemple : **Sie drückten einander die Hände.** = *Ils se serrèrent la main.* Ce mot s'associe à un grand nombre de prépositions. Exemples : **Menschen, die nicht zueinander gehören.** = *Des personnes, qui ne s'accordent pas l'une avec l'autre, qui n'ont rien en commun.* **Menschen, die zufällig zueinander gestoßen sind.** = *Des gens, qui se sont connus par hasard.* **Sie wußten nicht mehr, was miteinander anzufangen.** = *Ils ne savaient plus que faire ensemble (l'un avec l'autre).*

zueinander gehören und die nur zufällig zueinander gestoßen sind. Die Nacht breitete sich vor ihnen aus wie eine allzu lichte Wüste.

Und sie wußten nicht mehr, was miteinander anzufangen, nachdem sie leichtfertigerweise das wesentliche Erlebnis vergeudet hatten, das Mann und Frau gegeben ist. Also beschlossen sie, was den Menschen unserer Zeit vorbehalten bleibt, sobald sie nicht wissen, was anzufangen, ins Kino zu gehen. Und sie saßen da, und es war keine Finsternis, nicht einmal ein Dunkel, und knapp konnte man es noch ein Halbdunkel nennen. Und sie drückten einander die Hände, das Mädchen und unser Freund Andreas. Aber sein Händedruck war gleichgültig, und er litt selber darunter. Er selbst. Hierauf, als die Pause kam, beschloß er, mit dem schönen Mädchen in die Halle zu gehen und zu trinken, und sie gingen auch beide hin, und sie tranken. Und das Kino interessierte ihn keineswegs mehr. Sie gingen in einer ziemlichen Beklommenheit ins Hotel.

Am nächsten Morgen, es war Sonntag, erwachte Andreas in dem Bewußtsein seiner Pflicht, daß er das Geld zurückzahlen müsse. Er erhob sich schneller als am letzten Tag und so schnell, daß das schöne Mädchen aus dem Schlaf aufschrak und ihn fragte : » Warum so schnell, Andreas ? «

» Ich muß eine Schuld bezahlen «, sagte Andreas.

» Wie ? Heute am Sonntag ? « fragte das schöne Mädchen.

» Ja, heute am Sonntag «, erwiderte Andreas.

» Ist es eine Frau oder ein Mann, dem du Geld schuldig bist ? «

» Eine Frau «, sagte Andreas zögernd.

» Wie heißt sie ? «

» Therese. «

Daraufhin sprang das schöne Mädchen aus dem Bett, ballte die Fäuste und schlug sie auch beide Andreas ins Gesicht.

Und daraufhin floh er aus dem Zimmer, und er verließ das Hotel. Und ohne sich weiter umzusehen, ging er in die Richtung der Ste Marie des Batignolles, in dem sicheren Bewußtsein, daß er heute endlich der kleinen Therese die zweihundert Francs zurückzahlen könnte.

XIII

Nun wollte es die Vorsehung – oder wie weniger gläubige Menschen sagen würden : der Zufall –, daß Andreas wieder einmal knapp nach der

Arrivé – comme par hasard – en retard pour la messe de dix heures, Andreas s'installe dans un café en attendant la messe suivante. Il s'aperçoit qu'il ne lui reste que deux cent cinquante francs : Gabby a dû lui prendre le reste de sa fortune. Au moment de quitter le café, il rencontre un ancien camarade de travail, Woitech, qui, apprenant qu'Andreas veut rembourser une dette de 200 francs, veut l'accompagner à l'église.

die Vorsehung .... *la providence*
es war selbstverständlich .... *il allait de soi*
es war kaum noch etwas übrig .... *il n'en restait guère*
er machte sich gar nichts daraus .... *il ne s'en fit pas*
die Lust .... *le plaisir*
etwas genießen, genoß, genossen .... *profiter, jouir de qqch*
bis die Glocken läuteten .... *jusqu'à ce que les cloches se mettent à sonner*
die Schuld abstatten .... *payer la dette*
dröhnen .... *retentir, bourdonner*
zahlen, Kellner ! .... *garçon, l'addition !*
zusammenstoßen, stieß, gestoßen .... *heurter, bousculer*
breitschultrig .... *large d'épaules*
sie sanken einander in die Arme .... *ils tombèrent dans les bras l'un l'autre*
beide in einer Grube .... *ensemble dans la même mine*
grad nicht .... *justement pas, nullement*
ich kann die Pfaffen nicht leiden .... *je n'aime pas les prêtres*
meinst du ... ? .... *tu veux parler de ...*
ich begleite dich .... *je vais avec toi, je t'accompagne*

■ Les formes du pronom relatif allemand sont identiques à celles de l'article défini, sauf au datif pluriel. Exemples : **... das Bistro, in dem er zuletzt getrunken hatte.** = ... *le bistro, dans lequel il avait bu la dernière fois.* **Die Glocken, die zur Messe riefen.** = *Les cloches, qui appelaient les fidèles à assister à la messe.* **... die Leute, die zu den Pfaffen gehn.** = ... *les gens qui fréquentent les prêtres.*

Zehn-Uhr-Messe ankam. Und es war selbstverständlich, daß er in der Nähe der Kirche das Bistro erblickte, in dem er zuletzt getrunken hatte, und dort trat er auch wieder ein.

Er bestellte also zu trinken. Aber vorsichtig, wie er war und wie es alle Armen dieser Welt sind, selbst wenn sie Wunder über Wunder erlebt haben, sah er zuerst nach, ob er wirklich auch Geld genug besäße, und er zog seine Brieftasche heraus. Und da sah er, daß von seinen neunhundertachtzig Francs kaum noch mehr etwas übrig war.

Es blieben ihm nämlich nur zweihundertfünfzig. Er dachte nach und erkannte, daß ihm das schöne Mädchen im Hotel das Geld genommen hatte. Aber unser Andreas machte sich gar nichts daraus. Er sagte sich, daß er für jede Lust zu zahlen habe, und er hatte Lust genossen, und er hatte also auch zu bezahlen.

Er wollte hier abwarten, so lange, bis die Glocken läuteten, die Glokken der nahen Kapelle, um zur Messe zu gehen und um dort endlich die Schuld der kleinen Heiligen abzustatten. Inzwischen wollte er trinken, und er bestellte zu trinken. Er trank. Die Glocken, die zur Messe riefen, begannen zu dröhnen, und er rief : » Zahlen, Kellner ! «, zahlte, erhob sich, ging hinaus und stieß knapp vor der Tür mit einem sehr großen breitschultrigen Mann zusammen. Den nannte er sofort : » Woitech. « Und dieser rief zu gleicher Zeit : » Andreas ! « Sie sanken einander in die Arme, denn sie waren beide zusammen Kohlenarbeiter gewesen in Quebecque, zusammen beide in einer Grube.

» Wenn du mich hier erwarten willst «, sagte Andreas, » zwanzig Minuten nur, so lange, wie die Messe dauert, nicht einen Moment länger ! «

» Grad nicht «, sagte Woitech. » Seit wann gehst du überhaupt in die Messe ? Ich kann die Pfaffen nicht leiden und noch weniger die Leute, die zu den Pfaffen gehn. «

» Aber ich gehe zur kleinen Therese «, sagte Andreas, » ich bin ihr Geld schuldig. «

» Meinst du die kleine heilige Therese ? « fragte Woitech.

» Ja, die meine ich «, erwiderte Andreas.

» Wieviel schuldest du ihr ? « fragte Woitech.

» Zweihundert Francs ! « sagte Andreas.

» Dann begleite ich dich ! « sagte Woitech.

La messe vient de commencer, lorsque Woitech demande avec autorité à Andreas de lui donner tout de suite cent francs qu'il doit remettre à une personne sous peine d'aller en prison. Andreas s'exécute, quitte l'église pour rejoindre Woitech qui l'invite d'abord à boire, ensuite à aller dans une maison close où ils restent trois jours. En partant, Woitech donne rendez-vous à son compagnon pour le dimanche suivant devant l'église.
Andreas, à nouveau sans argent mais habitué aux miracles, décide de s'en remettre à sa bonne étoile où plus exactement à la miséricorde de Dieu.

mit flüsternder Stimme .... *d'une voix contenue*
ich komme sonst ins Kriminal .... *sinon j'irai en prison*
wie er nun einsah .... *puisqu'il comprit*
er hielt es für sinnlos .... *il pensait qu'il était absurde*
aus Anstand .... *par convenance, politesse*
sie blieben Kumpane .... *ils restaient bons copains*
jdm etwas borgen .... *prêter qqch à qqn*
verbergen, verbarg, verborgen .... *cacher, dissimuler*
er machte einen Knoten darum .... *il fit un nœud autour*
die gefälligen Mädchen .... *les filles complaisantes*
sich von jdm trennen .... *se séparer de qqn*
servus ! .... *adieu !*
ein regnerischer Dienstag .... *un mardi pluvieux*
ausgenommen .... *à l'exception de*
verwöhnt vom Schicksal .... *gâté par le sort*
sich jdm anvertrauen .... *faire confiance, se fier à qqn*

■ La préposition française *"à"* est rendue en allemand par **zu, an, in, nach** etc. selon le sens. Exemples : **in die Kirche** = *à l'église*, **um die selbe Zeit** = *à la même heure*, **an der gleichen Stelle und am selben Ort** = *au même endroit*, **im nächsten Augenblick** = *à l'instant d'après*, **nach Hause** = *à la maison.*

Die Glocken dröhnten immer noch. Sie gingen in die Kirche, und wie sie drinnen standen und die Messe gerade begonnen hatte, sagte Woitech mit flüsternder Stimme : » Gib mir sofort hundert Francs ! Ich erinnere mich eben, daß mich drüben einer erwartet, ich komme sonst ins Kriminal ! «

Unverzüglich gab ihm Andreas die ganzen zwei Hundertfrancsscheine, die er noch besaß, und sagte : » Ich komme sofort nach. «

Und wie er nun einsah, daß er kein Geld mehr hatte, um es der Therese zurückzuzahlen, hielt er es auch für sinnlos, noch länger der Messe beizuwohnen. Nur aus Anstand wartete er noch fünf Minuten und ging dann hinüber in das Bistro, wo Woitech auf ihn wartete.

Von nun an blieben sie Kumpane, denn das versprachen sie einander gegenseitig.

Freilich hatte Woitech keinen Freund gehabt, dem er Geld schuldig gewesen wäre. Den einen Hundertfrancsschein, den ihm Andreas geborgt hatte, verbarg er sorgfältig im Taschentuch und machte einen Knoten darum. Für die andern hundert Francs lud er Andreas ein, zu trinken und noch einmal zu trinken und noch einmal zu trinken, und in der Nacht gingen sie in jenes Haus, wo die gefälligen Mädchen saßen, und dort blieben sie auch alle beide drei Tage, und als sie wieder herauskamen, war es Dienstag, und Woitech trennte sich von Andreas mit den Worten : » Sonntag sehen wir uns wieder, um dieselbe Zeit und an der gleichen Stelle und am selben Ort. «

» Servus ! « sagte Andreas.

» Servus ! « sagte Woitech und verschwand.

XIV

Es war ein regnerischer Dienstagnachmittag, und es regnete so dicht, daß Woitech im nächsten Augenblick tatsächlich verschwunden war. Jedenfalls schien es Andreas so.

Es schien ihm, daß sein Freund verlorengegangen war im Regen, genauso, wie er ihn zufällig getroffen hatte, und da er kein Geld mehr in der Tasche besaß, ausgenommen fünfunddreißig Francs, und verwöhnt vom Schicksal, wie er sich glaubte, und der Wunder sicher, die ihm gewiß noch geschehen würden, beschloß er, wie alle Armen und des Trunkes Gewohnten es tun, sich wieder dem Gott anzuvertrauen, dem einzigen, an

En descendant vers la Seine pour rejoindre les autres clochards, Andreas croise à nouveau l'homme qui est à l'origine de tous les événements miraculeux qui lui sont arrivés depuis trois semaines. Celui-ci prétend ne pas le connaître ; mais en entendant le nom de Sainte Thérèse à qui il dit devoir beaucoup, il lui donne à nouveau deux cents francs. Andreas se rend dans son restaurant habituel, bien décidé à y attendre dimanche pour payer enfin sa dette.

die Heimstätte der Obdachlosen .... *refuge des personnes sans abri*
auf jdn stoßen, stieß, gestoßen .... *rencontrer (fortuitement) qqn*
er kam ihm bekannt vor .... *il avait l'impression de le connaître*
gepflegt aussehend .... *d'allure soignée*
es ist allerhand dazwischengekommen .... *j'ai eu toutes sortes de contretemps*
ich bin verhindert gewesen .... *j'ai eu un empêchement*
Sie irren sich .... *vous faites erreur*
ich habe nicht die Ehre .... *je n'ai pas l'honneur*
Sie verwechseln mich .... *vous me confondez avec qqn d'autre*
in einer Verlegenheit sein .... *être dans une situation difficile*
jdn betreffen .... *concerner qqn*
Geld vorstrecken .... *avancer de l'argent*
ich bin ein Ehrenmann .... *je suis un homme d'honneur*
jdn mahnen .... *relancer qqn*
ich pflege da zu schlafen .... *j'ai l'habitude d'y dormir*
Sie erweisen mir einen Gefallen .... *vous me rendez un service*
ich stehe zu Ihrer Verfügung .... *je suis à votre disposition*
die Stufen hinaufgehen .... *monter les marches*

■ Certains verbes se construisent avec une préposition fixe. Exemples : **an jdn glauben** = *croire en qqn*, **zu etwas führen** = *mener à qqch*, **an etwas (dat) erkennen** = *reconnaître à qqch*. **Gott, an den er glaubte**. = *Dieu en qui il croyait*. **Die Treppe, die zu der Heimstätte führte.** = *L'escalier qui menait à l'abri de fortune*. **An der Stimme erkannte Andreas, daß ...** = *Andreas reconnut à la voix, que ...*

den er glaubte. Also ging er zur Seine und die gewohnte Treppe hinunter, die zu der Heimstätte der Obdachlosen führt.

Hier stieß er auf einen Mann, der eben im Begriffe war, die Treppe hinaufzusteigen, und der ihm sehr bekannt vorkam. Infolgedessen grüßte Andreas ihn höflich. Es war ein etwas älterer, gepflegt aussehender Herr, der stehenblieb, Andreas genau betrachtete und schließlich fragte : » Brauchen Sie Geld, lieber Herr ? «

An der Stimme erkannte Andreas, daß es jener Herr war, den er drei Wochen vorher getroffen hatte. Also sagte er : » Ich erinnere mich wohl, daß ich Ihnen noch Geld schuldig bin, ich sollte es der heiligen Therese zurückbringen. Aber es ist allerhand dazwischengekommen, wissen Sie. Und ich bin schon das dritte Mal daran verhindert gewesen, das Geld zurückzugeben. «

» Sie irren sich «, sagte der ältere, wohlangezogene Herr, » ich habe nicht die Ehre, Sie zu kennen. Sie verwechseln mich offenbar, aber es scheint mir, daß Sie in einer Verlegenheit sind. Und was die heilige Therese betrifft, von der Sie eben gesprochen haben, bin ich ihr dermaßen menschlich verbunden, daß ich selbstverständlich bereit bin, Ihnen das Geld vorzustrecken, daß Sie ihr schuldig sind. Wieviel macht es denn ? «

» Zweihundert Francs «, erwiderte Andreas, » aber verzeihen Sie, Sie kennen mich ja nicht ! Ich bin ein Ehrenmann, und Sie können mich kaum mahnen. Ich habe nämlich wohl meine Ehre, aber keine Adresse. Ich schlafe unter einer dieser Brücken. «

» Oh, das macht nichts ! « sagte der Herr. » Auch ich pflege da zu schlafen. Und Sie erweisen mir geradezu einen Gefallen, für den ich nicht genug dankbar sein kann, wenn Sie mir das Geld abnehmen. Denn auch ich bin der kleinen Therese so viel schuldig ! «

» Dann «, sagte Andreas, » allerdings stehe ich zu Ihrer Verfügung. «

Er nahm das Geld, wartete eine Weile, bis der Herr die Stufen hinaufgeschritten war, und ging dann selber die gleichen Stufen hinauf und geradewegs in die Rue des Quatre Vents in sein altes Restaurant, in das russisch-armenische Tari-Bari, und dort blieb er bis zum Samstagabend. Und da erinnerte er sich, daß morgen Sonntag sei und daß er in die Kapelle Ste Marie des Batignolles zu gehen habe.

En quittant le restaurant, le dimanche matin, Andreas paie ses nombreuses consommations. Il ne lui reste pas beaucoup d'argent mais il compte sur l'aide de Woitech, avec lequel il a rendez-vous. Près de l'eglise, un policier l'interpelle. Mais au lieu de lui demander ses papiers – ce qu'Andreas redoute déjà – il lui tend un porte-feuille. "Vous venez de le perdre", dit l'agent.

etwas versäumen .... *rater qqch*
Trank und Speise und Quartier .... *le gîte et le couvert*
zu etwas neigen .... *avoir tendance à faire qqch*
eine Gelegenheit wahrnehmen .... *saisir une occasion*
Zahlungen ausweichen .... *éviter de payer*
unterscheiden .... *faire la différence, distinguer*
rechnen .... *compter, calculer*
das er bei sich hatte ... . *qu'il avait sur lui*
sich mit jdm verabreden .... *prendre rendez-vous avec qqn*
in dem gleichen Maße .... *de la même façon*
die Gläubigerin .... *la créancière*
den gewohntenWeg einschlagen .... *prendre le chemin habituel*
eine derbe Hand .... *une main ferme*
wie er sich umwandte .... *comme il se retournait*
viele seinesgleichen .... *beaucoup de personnes de son état*
sich den Anschein geben .... *se donner une apparence*
etwelche .... *quelque(s)*
vergeblich .... *en vain*
er fügte hinzu .... *il ajouta*
das kommt davon ! .... *c'est bien fait pour vous ! Voilà ce qui arrive ... !*
er fügte scherzhaft hinzu .... *il ajouta pour plaisanter*

■ Le verbe français *"savoir"* se traduit par **wissen** ou **können.** *Ce dernier* s'emploie pour traduire *"savoir faire, être capable"*. Exemples : **Der Wirt wußte zu unterscheiden, welche von seinen Kunden rechnen konnten und welche nicht.** = *Le patron savait distinguer entre ceux de ses clients qui savaient compter et ceux qui en étaient incapables.*

XV

Im Tari-Bari waren viele Leute, denn manche schliefen dort, die kein Obdach hatten, tagelang, nächtelang, des Tags hinter der Theke und des Nachts auf den Banquetten. Andreas erhob sich am Sonntag sehr früh, nicht so sehrwegen derMesse, die er zu versäumen gefürchtet hätte, wie aus Angst vor dem Wirt, der ihn mahnen würde, Trank und Speise und Quartier für so viele Tage zu bezahlen.

Er irrte sich aber, denn der Wirt war bereits viel früher aufgestanden als er. Denn der Wirt kannte ihn schon seit langem und wußte, daß unser Andreas dazu neigte, jede Gelegenheit wahrzunehmen, um Zahlungen auszuweichen. Infolgedessen mußte unser Andreas bezahlen, von Dienstag bis Sonntag, reichlich Speise und Getränke und viel mehr noch, als er gegessen und getrunken hatte. Denn der Wirt vom Tari-Bari wußte zu unterscheiden, welche von seinen Kunden rechnen konnten und welche nicht. Aber unser Andreas gehörte zu jenen, die nicht rechnen konnten, wie viele Trinker. Andreas zahlte also einen großen Teil des Geldes, das er bei sich hatte, und begab sich dennoch in die Richtung der Kapelle Ste Marie des Batignolles. Aber er wußte wohl schon, daß er nicht mehr genügend Geld hatte, um der heiligen Therese alles zurückzuzahlen. Und er dachte ebenso an seinen Freund Woitech, mit dem er sich verabredet hatte, genau in dem gleichen Maße wie an seine kleine Gläubigerin.

Nun also kam er in der Nähe der Kapelle an, und es war wieder leider nach der Zehn-Uhr-Messe, und noch einmal strömten ihm die Menschen entgegen, und wie er so gewohnt den Weg zum Bistro einschlug, hörte er hinter sich rufen, und plötzlich fühlte er eine derbe Hand auf seiner Schulter. Und wie er sich umwandte, war es ein Polizist.

Unser Andreas, der, wie wir wissen, keine Papiere hatte, wie so viele seinesgleichen, erschrak und griff schon in die Tasche, einfach um sich den Anschein zu geben, er hätte etwelche Papiere, die richtig seien. Der Polizist aber sagte : » Ich weiß schon, was Sie suchen. In der Tasche suchen Sie es vergeblich ! Ihre Brieftasche haben Sie eben verloren. Hier ist sie, und «, so fügte er noch scherzhaft hinzu, » das kommt davon, wenn man Sonntag am frühen Vormittag schon so viele Aperitifs getrunken hat ! ... «

Andreas retrouve Woitech dans le bistro, ouvre le portefeuille, et y trouve exactement deux cents francs. Il y voit un signe de Dieu, il veut aller tout de suite à la messe. Cependant Woitech le persuade qu'il peut rembourser l'argent sans assister à la messe. Andreas, docile, se rassoit pour prendre un verre.

A ce moment, une très jeune fille, toute habillée de bleu ciel, entre dans le café et s'installe en face de lui, Andreas se sent soudain pris d'une grande faiblesse et d'une violente douleur au cœur. Il se lève et demande à la jeune fille ce qu'elle fait dans ce café. Elle répond qu'elle attend ses parents qui viendront la prendre après la messe.

die Gelassenheit .... *le sang froid*
den Hut lüften .... *tirer le chapeau*
stracks .... *tout droit, directement*
einander wechselseitig einladen .... *offrir une tournée à tour de rôle*
höflich / die Höflichkeit .... *poli / politesse*
etwas Merkwürdiges .... *une chose étrange, curieuse*
mancherlei Papiere, die ihn .... *toutes sortes de papiers qui ne le*
nicht das geringste angehen .... *concernent en rien*
das ist ein Zeichen Gottes .... *c'est un signe de Dieu*
die Tür tat sich auf .... *la porte s'ouvrit*
ein unheimliches Herzweh .... *une douleur inquiétante au cœur*
genau ihm gegenüber .... *juste en face de lui*
ganz himmelblau angezogen .... *toute vêtue de bleu ciel*
gesegnet .... *béni*
jdn abholen .... *venir chercher qqn*
jeden vierten Sonntag .... *le quatrième dimanche de chaque mois*

■ Il y a deux traductions pour l'adverbe *"seulement"* : **erst** = *pas plus de*, et **nur** = *en tout et pour tout*. Exemples : **Er erkannte ihn erst nach einer längeren Weile.** = *Il ne le reconnut qu'au bout d'un moment.* **... blau, wie nur der Himmel blau sein kann, ... und auch nur an gesegneten.** = *... bleu, comme seul le ciel peut l'être, ... et seulement aux jours bénis de Dieu.*

Andreas ergriff schnell die Brieftasche, hatte kaum Gelassenheit genug, den Hut zu lüften, und ging stracks ins Bistro hinüber.

Dort fand er den Woitech bereits vor und erkannte ihn nicht auf den ersten Blick, sondern erst nach einer längeren Weile. Dann aber begrüßte ihn unser Andreas um so herzlicher. Und sie konnten gar nicht auflhören, beide einander wechselseitig einzuladen, und Woitech, höflich, wie die meisten Menschen es sind, stand von der Banquette auf und bot Andreas den Ehrenplatz an und ging, so schwankend er auch war, um den Tisch herum, setzte sich gegenüber auf einen Stuhl und redete Höflichkeiten. Sie tranken lediglich Pernod.

» Mir ist wieder etwas Merkwürdiges geschehen «, sagte Andreas. » Wie ich da zu unserem Rendezvous herübergehen will, faßt mich ein Polizist an der Schulter und sagt : > Sie haben Ihre Brieftasche verloren. < Und gibt mir eine, die mir gar nicht gehört, und ich stecke sie ein, und jetzt will ich nachschauen, was es eigentlich ist. «

Und damit zieht er die Brieftasche heraus und sieht nach, und es liegen darin mancherlei Papiere, die ihn nicht das geringste angehen, und er sieht auch Geld darin und zählt die Scheine, und es sind genau zweihundert Francs. Und da sagt Andreas : » Siehst du ! Das ist ein Zeichen Gottes. Jetzt gehe ich hinüber und zahle endlich mein Geld ! «

» Dazu «, antwortete Woitech, » hast du ja Zeit, bis die Messe zu Ende ist. Wozu brauchst du denn die Messe ? Während der Messe kannst du nichts zurückzahlen. Nach der Messe gehst du in die Sakristei, und inzwischen trinken wir ! «

» Natürlich, wie du willst «, antwortete Andreas.

In diesem Augenblick tat sich die Tür auf, und während Andreas ein unheimliches Herzweh verspürte und eine große Schwäche im Kopf, sah er, daß ein junges Mädchen hereinkam und sich genau ihm gegenüber auf die Banquette setzte. Sie war sehr jung, so jung, wie er noch nie ein Mädchen gesehen zu haben glaubte, und sie war ganz himmelblau angezogen. Sie war nämlich blau, wie nur der Himmel blau sein kann, an manchen Tagen, und auch nur an gesegneten.

So schwankte er also hinüber, verbeugte sich und sagte zu dem jungen Kind : » Was machen Sie hier ? «

» Ich warte auf meine Eltern, die eben aus der Messe kommen ; die wollen mich hier abholen. Jeden vierten Sonntag «, sagte sie und war

Pressé de questions par Andreas, la jeune fille raconte qu'elle s'appelle Thérèse, ce qui enchante Andreas : ne croit il pas que Sainte Thérèse en personne est venu lui rendre visite ! Cependant, il n'a pas la force de résister à Woitech qui l'entraîne vers le comptoir pour une autre tournée de pernod.
C'est alors que soudain, Andreas s'effondre. Transporté à la sacristie de l'église, il prononce, en présence de la jeune fille, une dernière fois le nom de Sainte Thérèse, puis il meurt. Que Dieu accorde à tous les buveurs la grâce d'une telle mort !

sie war ganz verschüchtert .... *elle était très intimidée*
das ist reizend ! .... *comme c'est charmant !*
ziemlich verwirrt .... *passablement déconcerté*
das ist nur Ihre Feinheit .... *quelle délicatesse de votre part*
ich bin nicht dazu gekommen .... *je n'ai pas eu le temps*
er schwankte auf aus seinem Sessel .... *il se leva de son fauteuil en titubant*
an die Theke schleppen .... *entraîner au comptoir*
sich anschicken, etwas zu tun .... *être sur le point de faire qqch*
etwas von etwas verstehen .... *s'y connaître*
sie kam nicht umhin .... *elle ne put éviter*
er tut einen letzten Seufzer .... *il pousse un dernier soupir*

■ Les compléments d'objet direct et indirect apparaissent dans la phrase allemande dans un ordre inhabituel pour un français. Lorsque ce sont deux noms, le datif précède l'accusatif ; dans le cas de deux pronoms, l'ordre est inversé. Lorsque ce sont un nom et un pronom, c'est le pronom qui est en première position quel que soit son cas. Exemples : **Ich bin Ihnen zweihundert Francs schuldig.** = *Je vous dois deux cents francs.* **Ich bin nicht mehr dazu gekommen, sie Ihnen zurückzugeben.** = *Je n'ai pas eu le temps de vous les rendre.*

ganz verschüchtert vor dem älteren Mann, der sie so plötzlich angesprochen hatte. Sie fürchtete sich ein wenig vor ihm.

Andreas fragte daraufhin : » Wie heißen Sie ? «

» Therese «, sagte sie.

» Ah «, rief Andreas darauf, » das ist reizend ! Ich habe nicht gedacht, daß eine so große, eine so kleine Heilige, eine so große und so kleine Gläubigerin mir die Ehre erweist, mich aufzusuchen, nachdem ich so lange nicht zu ihr gekommen war. «

» Ich verstehe nicht, was Sie reden «, sagte das kleine Fräulein ziemlich verwirrt.

» Das ist nur Ihre Feinheit «, erwiderte hier Andreas. » Das ist nur Ihre Feinheit, aber ich weiß sie zu schätzen. Ich bin Ihnen seit langem zweihundert Francs schuldig, und ich bin nicht mehr dazu gekommen, sie Ihnen zurückzugeben, heiliges Fräulein ! «

» Sie sind mir kein Geld schuldig, aber ich habe welches im Täschchen, hier, nehmen Sie und gehen Sie. Denn meine Eltern kommen bald. «

Und somit gab sie ihm einen Hundertfrancsschein aus ihrem Täschchen.

All dies sah Woitech im Spiegel, und er schwankte auf aus seinem Sessel und bestellte zwei Pernods und wollte eben unseren Andreas an die Theke schleppen, damit er mittrinke. Aber wie Andreas sich eben anschickt, an die Theke zu treten, fällt er um wie ein Sack, und alle Menschen im Bistro erschrecken, und Woitech auch. Und am meisten das Mädchen, das Therese heißt. Und man schleppt ihn, weil in der Nähe kein Arzt und keine Apotheke ist, in die Kapelle, und zwar in die Sakristei, weil Priester doch etwas von Sterben und Tod verstehen, wie die ungläubigen Kellner trotzdem glaubten ; und das Fräulein, das Therese heißt, kann nicht umhin und geht mit.

Man bringt also unsern armen Andreas in die Sakristei, und er kann leider nichts mehr reden, er macht nur eine Bewegung, als wollte er in die linke innere Rocktasche greifen, wo das Geld, das er der kleinen Gläubigerin schuldig ist, liegt, und er sagt : » Fräulein Therese ! « – und tut seinen letzten Seufzer und stirbt. Gebe Gott uns allen, uns Trinkern, einen so leichten und so schönen Tod !

IMPRESSION – FINITION

Achevé d'imprimer en novembre 1991
N° d'impression L 38908
Dépôt légal novembre 1991
Imprimé en France